Adran Addysg Diwylliant a Hamdden
CYNGOR GWYNEDD
Medi 2000

**CYFLWYNIR Y LLYFR HWN
I BLANT YSGOLION GWYNEDD
I GOFIO CYFRANIAD
OWAIN GLYNDŴR
I HANES CYMRU**

I

Gwyddno, Seiriol ac Einion

Argraffiad cyntaf: 2000

Lluniau: Margaret Jones
Dylunio: Olwen Fowler

Cyhoeddwyd gyda chymorth ariannol Cyngor
Celfyddydau Cymru.

ISBN: 0 86243 535 8

Argraffwyd a chyhoeddwyd yng Nghymru gan
Y Lolfa Cyf., Talybont, Ceredigion SY24 5AP
e-bost ylolfa@ylolfa.com
y we www.ylolfa.com
ffôn (01970) 832 304
ffacs 832 782
isdn 832 813

DIOLCHIADAU

Dymuna'r awdur ddiolch i Dr Menna Davies, yr Athro R.R. Davies, Dafydd Ifans, a'r Athro
Emeritws R.M. Jones am eu cymorth gwerthfawr wrth lunio'r gyfrol hon. Diolch hefyd i Robat
Gruffudd a gomisiynodd y gwaith, ac i Lefi Gruffudd am ei ddeheurwydd gweinyddol.

OWAIN GLYNDŴR

TYWYSOG CYMRU

GAN

Rhiannon Ifans

Lluniau gan
MARGARET JONES

y Lolfa

Cynnwys

'**H**IR OES

I'R DDRAIG

AUR!'

'Hir oes i'r ddraig aur!'

Trawodd Siôn Wyn ei fys â'r morthwyl.

'A-a-a-w!' Rhuai Siôn Wyn yn ei boen tra gwyliai ei frawd y clais du yn codi'n araf i'r wyneb.

'Tria fod yn fwy gofalus, wnei di? Thâl hi ddim i ni ddifetha popeth ar y funud olaf,' siarsiodd Gethin.

Roedd y ddau frawd wedi bod wrthi'n ddyfal yn curo helm i'w siâp, ac wedi cael hwyl arni. Taro'n ysgafn ac yn gyson oedd y tric, nid waldio fel rhai o'u co. Na, roedd blynyddoedd wrth y grefft o lunio arfwisgoedd wedi dysgu iddynt fod yn rhaid pwyllo.

'Fedri di guro rhywfaint yn rhagor ar gorun yr helm yma, Siôn? Mae angen llyfnhau dipyn arni eto, a does dim amser i'w golli.'

'Dim ond anaf bach ydi hwn, siŵr. Paid â ffwdanu cymaint. Fe gymer fwy na chic morthwyl i dynnu'r gwynt o hwyliau Siôn Wyn.'

Cododd gwrid o dân yr efail i'w hwynebau wrth iddynt daro pob tolc a phant o'r dur yn wastad. Er bod parddu yn hofran yn yr aer ac yn eu gwallt a thros eu dillad, nid oedd un swydd arall yn y byd a allai ddenu bryd Siôn a Gethin Wyn.

Daeth cnoc sydyn ar ddrws yr efail.

'Bendith arnoch chi, frodyr!' gwaeddodd rhywun o'r drws isel. 'Galw ar ran y

barwn ydw i. Ydi'r helm yn barod?'

'Dim ond ysgythru arwyddlun y teulu arni i ddangos ei bod yn un o'n helmau dilys ni, Rhun, ac fe fydd mor barod ag y bydd hi byth. Bendith ar ben y sawl fydd yn ei gwisgo, a phob diogelwch iddo.'

'Hir oes i Owain ap Gruffudd Fychan ddyweda innau hefyd. Diolch ichi ffrindiau, rydych chi'n grefftwyr di-ail.'

'Hoffet ti gael llymaid bach o gwrw cyn iti fynd ar dy daith?' perswadiodd Gethin.

'Dim ar unrhyw gyfrif, diolch iti yr un fath. Mae'n rhaid imi alw gyda Rheinallt, y gwneuthurwr mael, nesaf. Fentra i bod Rheinallt wedi gorffen ei dasg ers tro byd. Siapio dolennau bach o wifren yn gylchoedd, ac wedyn cydio miloedd ohonynt wrth ei gilydd: mae angen pâr o lygaid craff i wneud hynny!'

'Un da ydi Rheinallt. Ond o'm rhan fy hun, cofia, hidiwn i fawr orfod dilyn patrwm mor anodd â phatrwm crys mael. Faswn i ddim yn hoffi cyfri'r cylchoedd i gyd fel taswn i'n hen wraig yn gwau wrth y tân ac yn cyfri'r pwythau wrth fynd ar hyd y rhes,' meddai Siôn Wyn.

'Roedd yn dda gan Rheinallt orffen y dasg hefyd yn reit siŵr, a stampio'i enw ar y cylch pres olaf oll. Ond fel'na mae hi – pawb â'i grefft, a phawb eisiau pris teg amdani.'

Gloywodd llygaid Siôn a Gethin Wyn wrth i Rhun daro cyflog mawr ar yr eingion yn dâl am yr helm. Ond gyda chwsmer mor hwyliog ag Owain ap Gruffudd Fychan, roedd yn bleser cael gweithio iddo o gwbl. Edrychent ymlaen at gael mynd gydag Owain i'r twrnamaint lle y byddai'n gwisgo'r helm am y tro cyntaf. Efallai y byddai angen y brodyr arno i forthwylio'r dur yn ôl i siâp petai Owain yn digwydd cael tolc yn ei helm wrth ymladd. Yr oedd Siôn a Gethin Wyn yn dal i gofio hanes y Sais, William Marshall (er bod dwy ganrif ers hynny), yn cael tolc i'w helm mewn twrnamaint ac yn gorfod rhoi ei ben ar yr eingion er mwyn i'r gof ei forthwylio'n rhydd.

'Myn Mair! Ei ben yn mynd yn sownd yn ei helm!' meddai Gethin wrtho'i hunan, a fflach ddrygionus yn ei lygaid.

Buan y casglwyd yr arfwisg at ei gilydd ac y daeth bore'r twrnamaint am eu pennau. Ni allai fod yn fore gwell. Arafodd Siôn Wyn ei geffyl a throi i edrych yn ôl dros y dyffryn. Codai tarth y bore cyntaf yn dawel dros lannau'r afon.

'Tra bo pob Sais yn ei wely mae'r wlad yma'n ddigon o ryfeddod. Ond unwaith y deuan *nhw* o'u gwâl mae'n draed moch. Ordors am hyn, ordors am y llall. Fyddwn ni byth uwch bawd sawdl tra bo'r rhain yn magu yn ein tir,' ochneidiodd Siôn.

'Digon gwir,' cytunodd Gethin Wyn. 'Ond paid â gadael iddyn nhw sbwylio heddiw i ni. Byw un dydd ar y tro ydi'r unig ffordd, rhwng popeth. Tyrd, well i ni ei chychwyn hi eto neu mi fydd pawb wedi hen fynd adref cyn i ni gyrraedd.'

Sbardunwyd y meirch a charlamu ymlaen ar hyd llawr y dyffryn nes cyrraedd cae gwastad y twrnamaint. Buan yr anghofiodd y ddau eu cwynion yn haul y bore. 'Beth am ddiferyn o laeth enwyn i dorri syched?' awgrymodd Gethin.

'Go dda wir,' meddai Siôn. 'Mae llwch y daith yn cosi fy nhafod i ers tro.'

Gosodwyd eingion Siôn a Gethin Wyn o fewn tafliad carreg i'r llain ymladd. Cafodd Siôn Wyn fraw pan welodd pwy oedd yn cystadlu. Disgwyliai weld Owain ap Gruffudd Fychan, bid siŵr, ond nid oedd eto wedi cyrraedd. Ond ei wrthwynebwr! Yr oedd ef yno! Nid oedd Siôn erioed yn ei fyw wedi gweld dim na neb a oedd yn fwy brawychus na gwrthwynebwr Owain ap Gruffudd y diwrnod hwnnw.

Trotiai march mawr du yn ôl a blaen ym mhen uchaf y cae. Eisteddai marchog cefnsyth arno: dyn cryf a chanddo grys mael du, a helm mor ddu â'r muchudd am ei ben a thros ei wyneb. Ar ei waywffon roedd baner o sidan du yn cyhwfan yn osgeiddig yn yr awel ysgafn. Pwy allai fod?

Cyn i neb fedru dyfalu daeth mintai drwy'r glwyd isaf a chymryd ei lle mewn steil ym mhen isaf y maes. Dyna beth oedd crandrwydd. Owain ap Gruffudd oedd ar flaen y fintai, yn edrych yn ysblennydd iawn yn ei arfwisg newydd, sgleiniog. Yn goron ar y cyfan yr oedd ei helm ddisglair, a'r ddraig aur arni yn fflachio yn yr haul. Chwyddodd calon Siôn Wyn ddwywaith ei maint, yr oedd mor falch o'r barwn, ac o'r helm a fyddai'n ei gadw'n ddiogel.

'Bendith Duw a'r holl saint arnat, Owain ap Gruffudd Fychan,' meddai Siôn Wyn gan wneud arwydd y groes o'i flaen. 'Fydd dim yn well gen i na dy weld di'n taflu'r Dewin Du yna i'r llawr nes bod ei waed yn llifo, ei esgyrn yn chwilfriw, a'i ddannedd yn cracio'n ddarnau mân.'

'Clywch! Clywch!' meddai Gethin Wyn.

Ar y gair fe ganwyd yr utgyrn a galw'r cystadleuwyr i'w lle. Rhedai ias i lawr cefn Gethin Wyn wrth weld ei arwr yn ateb her y Dewin Du. Y fath ddwndwr! Rhwng bod y meirch rhyfel mawr yn pwnio'r ddaear â'u carnau, a'r gwaywffyn yn fflachio fel sêr y nos, gallech feddwl ei bod yn storm wyllt o fellt a tharanau ar lain y twrnamaint.

Ond nid oedd un marchog yn ddim nes at fwrw'r llall i'r llawr er iddynt ymosod yn galed hyd ganol dydd. Newidiodd Owain ei waywffyn am rai â blaen llymach. 'Mae gweision y gatrawd wedi bod yn eu hogi drwy'r bore,' meddai Siôn Wyn. 'Efallai y cei di lwyddiant gyda'r rhain.'

O un pen i'r cae i'r llall, taranodd y meirch yn eu blaenau nes bron â chyfarfod benben. Anelodd Owain ap Gruffudd ei

bicell i ganol tarian y Dewin Du. Ond ar yr union eiliad honno trawyd ei darian ei hun yn ei chanol gan bicell y Dewin Du. Aeth ochenaid drwy'r dorf. Taflwyd y ddau farchog dros benolau eu meirch i'r llawr. Cododd Owain fel fflach a thynnu cleddyf. Ond yr oedd y Dewin Du lawn mor chwim ag ef. Torrodd pigau o chwys oer drwy groen talcen y Dewin Du a'i ddallu am eiliad. Manteisiodd Owain ar hynny. Rhoddodd chwip o ergyd i'r Dewin Du ar ganol wyneb ei helm. Trodd honno rywfaint, ac yn yr eiliad honno fe sylweddolodd Owain ap Gruffudd pwy oedd ei wrthwynebwr.

'Tudur! Tudur ap Gruffudd Fychan! Y cnaf!'

Pwy oedd y Dewin Du? Wel, neb llai na brawd Owain! Daeth bonllefau o ganmoliaeth i'r ddau farchog o bob cwr o'r dorf.

'Beth ddaeth dros dy ben di i guddio mewn du?' gofynnodd Owain.

'Rhag iti fy adnabod, siŵr iawn!'

Curodd y naill y llall ar ei gefn a llongyfarch ei gilydd ar eu camp. Cyn pen dim o dro yr oedd y ddau yn eistedd wrth wledd ardderchog yn Sycharth, cartref Owain, ac yn codi gwydrau i'w gilydd.

'Hir oes i'r ddraig aur!'

'A hir oes i'r Dewin Du!'

BLUEN

FFLAMINGO

Y BLUEN FFLAMINGO

Yr Alban! Nid oedd Siôn Wyn erioed wedi bod yn yr Alban. Nid oedd yn hidio fawr am y lle. Clywodd sôn fod carcharorion yn dianc yno i fyw'n wyllt yn y coedwigoedd. Clywodd hefyd fod y tir yn gorsiog yno a bod marchogion a wisgai arfwisgoedd trwm yn suddo i'r ddaear ac yn boddi yn y mwd.

'Ond mae brithyll ac eogiaid yno wrth y miloedd,' meddai Gethin Wyn. Byddai Gethin yn ei elfen os câi dafell o gig blasus yn ei law, neu botyn o gwrw oer rhwng ei ddwylo. 'Dim ond sleifio'n dawel drwy'r twmpathau grug i lawr at yr afon a phicell finiog yn dy law fyddai eisiau iti ac mi gaet ti bryd o fwyd gwerth chweil. Diferyn neu ddau o ddŵr clir yr afon i'w olchi i lawr – beth gaet ti'n well ar fôr neu ar dir?'

Serch y brithyll tew a'r ddiod felfedaidd, yr oedd ofn yng nghalon Siôn Wyn. Ac er bod ofn yn agos iawn at ei galon bob amser, yr oedd yn rhywbeth yr oedd Siôn Wyn wedi dysgu byw gydag ef. Weithiau pigai'n ysgafn, ond heno yr oedd yn lwmp caled yn ei frest. Dyma'r noson olaf y byddai ei arwr, Owain ap Gruffudd (neu Owain Glyndŵr fel y galwai pawb ef y dyddiau hyn) yn cysgu yn ei gartref yn Sycharth. Ben bore drannoeth byddai Owain yn neidio ar ei geffyl ac yn carlamu i ffwrdd, gannoedd o filltiroedd i'r gogledd, i ymladd ym myddin Brenin Lloegr, Rhisiart II, yn erbyn byddin yr Alban.

Fe hoffai Owain Glyndŵr ymladd, ac yn well fyth, fe hoffai ymladd yn yr haf. Nid oedd arlliw o ofn dim yn ei galon ef. Hoffai garlamu drwy Ogledd Cymru, drwy Loegr, ar draws gwlad i'r dwyrain, ac i fyny eto i'r Ferwig yn yr Alban heb orfod goddef glaw oer yn diferu i lawr ei drwyn na niwl diflas yn llercian tu ôl i'w glustiau. Yn sicr ddigon ni hoffai weld y troedfilwyr, gefn trymedd gaeaf, yn cerdded drwy'r rhew a'r eira heb ddim byd gwell na charpiau i guddio bodiau eu traed a hen sach dros eu hysgwyddau i gadw eu dannedd rhag clecian gan gryndod. Os oedd yn rhaid ymladd o gwbl, llawer iawn gwell gan Owain oedd ymladd yn haul y bore.

Wrth nesu at y Ferwig yr oedd aroglau mwg yn yr awyr.

'Mae rhywun wedi bod yn llosgi'r cnydau rhag i ni gael bwyd,' meddai Tudur ap Gruffudd. 'Maen nhw'n gobeithio y byddwn ni'n llwgu i farwolaeth cyn cael ein trywanu i farwolaeth.'

'Does dim perygl i'r naill beth na'r llall ddigwydd,' meddai Owain yn hyderus. 'Fe ofalaf i am hynny. Does dim yn y byd sy'n fwy peryglus i'r gelyn na byddin o ddynion â gwaywffyn hir, yn ymladd oddi ar geffylau. Rwyt ti a mi yn hen lawiau ar hynny wedi ymarfer cymaint mewn twrnameintiau. Noson dda o gwsg, ac fe fyddwn ni ar faes y frwydr cyn codi cŵn Caer.'

Drannoeth ar las y dydd fe gododd Owain a Tudur i'r frwydr, ynghyd â throedfilwyr Rhisiart II, a'i saethwyr. Yn y pellter gallent weld troedfilwyr yr Alban yn dal polion hir o'u blaenau a phen bwyell neu bigyn siarp ar flaen pob un. Gan eu bod yn sefyll mor dynn yn ei gilydd fe ffurfient wal o bicellau llym fel

draenog. Roedd yn rhaid llunio tacteg i'w trechu.

'Farchogion!' gwaeddodd Rhisiart II. 'Cadwch yn ôl! Does dim diben ichi ymosod. Bydd y Sgotiaid wedi malu coesau eich ceffylau cyn i *chi* fedru eu taro *nhw*. Tasg i'r saethwyr ydi hon. Saethwyr! Chwalwch y llinellau tynn â chawodydd o saethau. Farchogion! Rhuthrwch chi arnyn nhw wedyn a thorri i lawr bob milwr sy'n sefyll. I'r gad!'

Ac felly y bu. Ymhen dim o dro roedd y saethau'n disgyn yn gawodydd. Ar arwydd y brenin, rhuthrodd Owain a Tudur i ganol y frwydr gyda'r marchogion eraill. Ond ymddangosodd catrawd o farchogion yr Alban ar yr un eiliad i amddiffyn eu picellwyr.

Gwibiodd cleddyf Sgotyn heibio i ben Owain fel gwenynen. Osgôdd Owain yr ergyd yn chwim. Daeth Sgotyn arall i'w wynebu. Fel mellten fe drywanodd Owain ef yn ei lygad drwy fiswrn ei helm. Wrth i'r Sgotyn syrthio cafodd Owain ergyd galed ar ei helm ei hun. Roedd ei stumog yn troi gan y boen yn ei ben. Ond ni holltodd yr helm!

Tudur! Yr oedd Tudur mewn perygl! Drwy gornel ei lygad gwelai Owain dri marchog yn cau am geffyl Tudur.

Plannodd Owain ei waywffon yng nghefn un ohonynt. Syrthiodd hwnnw ar ei wyneb i'r ddaear galed a thorri ei wddf.

Roedd haul Awst ar yr arfwisg yn ei gwneud yn annioddefol o boeth, ac yn yr ysgarmes yr oedd blaen gwaywffon Owain wedi torri i ffwrdd. Cododd Owain ei gleddyf â'i ddwy law a dod ag ef i lawr â'i holl nerth ar ganol helm y Sgotyn agosaf ato. Agorodd yr helm yn ddau hanner. Torrodd cleddyf Owain drwy'r benglog a'r ymennydd nes bod gwaed yn tasgu i bob cyfeiriad.

Ond nid oedd Tudur allan o berygl. Roedd ei elyn yn taro ergydion cas. Ymladdai Tudur yn ôl yn ffyrnig. O na allai Owain ei helpu!

Llygadodd Owain un twll bach yn arfwisg y Sgotyn. Tybed! Tybed a allai Owain gael blaen ei gleddyf i'r un man hwnnw rhwng maneg fawr y marchog a'r plât dur am ei fraich?

Â'i waywffon doredig, rhoddodd Owain chwip o ergyd ar arddwrn y marchog. Torrodd gwaywffon Owain yn ei hanner. Saethodd fflam o boen drwy fraich y Sgotyn a gollyngodd ei gleddyf o'i law. Llithrodd Owain ei gleddyf ei hun i'r cnawd gwyn rhwng y dyrnfol a'r plât dur. Wedi un sgrech hir, ni chlywyd sôn am y Sgotyn dewr fyth wedyn. Roedd Tudur yn ddiogel!

A'i waywffon yn debycach i ddagr yn ei law ar ôl yr holl ymladd, roedd yn dda gan Owain weld y frwydr yn dod i ben. Carlamodd ei geffyl drwy fôr o gyrff nes cyrraedd gwersyll milwyr Rhisiart II. Wrth dynnu ei helm a'i rhoi i gadw'r noson honno, anwesodd y bluen goch a oedd ar ei brig, pluen fflamingo yn goch fel gwaed.

'Go dda, Siôn a Gethin Wyn. Go dda chi!'

$\mathcal{H}$ELYNT

Y BARWN

GREY

Helynt y Barwn Grey

Yr oedd Owain Glyndŵr yn gandryll o'i go. Cerddai yn ôl a blaen yn ei siambr fel llew ar gythlwng mewn caets.

'Fedra i ddim credu hyn! Fe wnaf i'r Barwn Grey dalu am ei dwyll, petai'r peth olaf a wnaf i cyn marw.'

'Owain, cymer bwyll,' plediodd Marged, ei wraig.

'Fe ddangosaf i iddo nad ydi hi'n talu ffordd i groesi Owain Glyndŵr yn rhy aml. Ac mae Grey wedi mynd dros ben llestri'n lân y tro hwn.'

'Efallai mai camgymeriad ydi'r cwbl.' Ceisiodd Marged leddfu tymer Owain, ond i ddim pwrpas.

'Y tro hwn, does dim dewis. Mae'n rhaid taro'n ôl. A gorau po gyntaf.' Trawodd Owain ei ddwrn ar y bwrdd nes bod y siambr yn diasbedain. Gwyddai Marged na fyddai troi arno bellach.

Yn dawel yn ei chalon doedd gan Marged chwaith ddim amheuaeth. Un slei fu'r Barwn Grey erioed, ac un parod i wneud tro sâl â'i gymdogion os oedd llygedyn o obaith y deuai hynny â chlod iddo fe'i hunan. Ond bu'n annoeth y tro hwn. Dyma oedd y broblem. Yr oedd Rhisiart II wedi ei ddiorseddu ym mis Medi 1399 a brenin newydd wedi'i goroni yn ei le, Harri IV. Byddai Owain wedi ymladd drosto haf neu aeaf, hyd farwolaeth petai raid. Ond sut y gallai wneud hynny heb gael gwŷs?

'Rhag cywilydd i'r barwn yn peidio â rhoi'r neges i Owain fod Harri am iddo ymladd gydag ef yn yr Alban,' tantrodd Marged wrthi'i hun. 'Y sinach bach! Cadw'r neges iddo'i hunan, ac wedyn cyhuddo Owain o fod yn fradwr ac o wrthod ymladd! Mae'n ddigon i wylltio sant.'

Ond dim ond darn o'r stori oedd hynny. Ers tro byd yr oedd y Barwn Reginald Grey o Ruthun ac Owain Glyndŵr wedi ffraeo ynglŷn â ffiniau tir. Anghytunai Grey ag Owain yn ffyrnig ynglŷn â'r union linell lle y dôi tir y naill a'r llall i ben. Yn ardal Gwyddelwern a Derwen yr oedd y drafferth.

'Aros nes daw'r gwanwyn,' anogodd Marged. 'Fe gei di weld. Pan ddaw'r Senedd i drafod yr achos tir yma, fydd dim dadl mai ti fydd yn ennill.'

'Na, Marged. Dydi Grey ddim yn un i'w drin yn ysgafn. Gei di weld y bydd y dihirod Saeson yna wedi dod at ei gilydd yn Llundain ac yn rhoi'r tir i Grey. Wedi'r cyfan, mae o'n un ohonyn nhw. Ond, myn y saint! chaiff neb dir Owain Glyndŵr ar chwarae bach. Deued a ddelo!'

Edmygai Marged ysbryd heriol ei gŵr, a'r tân gwreichionog a oedd yn ei lygaid. Yr oedd Owain yn ganol oed erbyn hyn ond yr oedd yn dal yn ddyn cyhyrog a'i gefn yn syth fel llafn.

'Ti sy'n iawn,' meddai Marged. 'Mae'n rhaid inni beidio ag ildio'r un fodfedd. Deued a ddelo!' Cododd ffiol o win a gwenu ar Owain. 'I ddyfodol Sycharth a'i blant!'

'Sycharth a'i blant!' cytunodd Owain, a thincialodd y ffiolau aur yn ei gilydd a fflachio'n beryglus yng ngolau'r gannwyll.

Llusgodd yr wythnosau yn eu blaenau, un ar ôl y llall, heb ddim newyddion o Lundain. Pan ddaeth, torrodd y newydd yn galed ar glustiau Glyndŵr.

'Cwyn gan un o'r Cymry? Caton pawb! Beth yw'r ots gennyf fi am y dihirod troednoeth?'

Ffromodd Owain Glyndŵr. 'A dyna ateb Harri IV ai e? Yr ellyll bach! Fe gaiff dalu am hyn cyn y gwêl wanwyn arall.'

Wedi cael ei drin mor swta, yr oedd Owain yn benderfynol o dalu'r pwyth yn ôl. Anfonwyd si ar led fod uchelwyr Cymreig y gogledd i ddod i Sycharth. Byddai gwledd yn eu haros.

Bu cogydd Sycharth yn gweithio am ddyddiau i baratoi ar eu cyfer. Coginiodd res o beunod ar hambwrdd metel mawr. Tafellodd hanner dwsin o foch a fyddai'n toddi ar eich tafod, ac yr oedd ganddo gig carw ffres o'r parc gerllaw, a chig eidion oddi ar y fferm ar ben hynny wedyn. Doedd ganddo ddim amser i anadlu, roedd mor brysur. Dyna lwc fod y selerydd gwin yn llawn, a choed a llwyni'r berllan yn drwm o fefus a chwrens duon. Roedd gerddi Sycharth hefyd yn bersawr i gyd yr haf hwnnw gan gymaint o rosynnau a oedd yn eu blodau. Ni fu'r cogydd fawr o dro yn darparu pwdin rhosynnau o'r petalau blasus.

'Roeddwn i'n ofni na ddeuwn i byth i ben!' meddai'r cogydd tew â'r gwallt crop. Ond yr oedd pob cyllell yn ei lle a phob mainc esmwyth yn barod am yr ymwelwyr pwysig mewn da bryd.

Gruffudd Hanmer oedd un o'r ymwelwyr hynny, ac yr oedd wedi cyrraedd o fewn tafliad carreg i'r plas. Ffrwynodd ei geffyl ac aros dan gysgod derwen. Roedd ei feddwl yn ofid i gyd. Edrychodd i fyny ar Sycharth, ac ar ei wyngalch glân yn disgleirio yn yr haul. Fflachiai gwydr lliw'r ffenestri hefyd yn haul yr haf. Disgleiriai'r ffos ddofn oedd o amgylch plasty Sycharth i'w amddiffyn. Ac er ei bod yn noson fwyn, troellai mwg yn araf o'r simneiau mawr. Mor heddychlon! Mor odidog oedd cartref Glyndŵr! Yr oedd edrych arno yn falm i enaid.

'Beth ddaeth dros fy mhen i'n gofidio fel hyn?' dwrdiodd Gruffudd Hanmer ei hunan. 'Fe fydd Glyndŵr yn sicr o fod â rhyw gynllun dan ei helm i'n gwared ni o orthrwm Harri IV a'i was bach, Harri Hotspur.'

Yn ddiymdroi sbardunodd Gruffudd Hanmer ei geffyl i fyny at y plasty, a marchogaeth yn dalog dros y bont a thrwy'r porth i Sycharth, at Marged ei chwaer.

Dyna noson ryfeddol oedd honno. Gartref ar ei dir ei hun, yng nghwmni ei ffrindiau agosaf, yr oedd Owain Glyndŵr yn gwmni da. Daeth Gruffudd Llwyd, un o'r goreuon o'i feirdd, ymlaen i berfformio cywydd newydd yn canmol Owain.

'Go dda, Gruffudd Llwyd! Dyna'r gerdd orau eto!' Yr oedd Owain Glyndŵr wedi dotio o'r newydd at ddawn dweud ei fardd a'i ffrind.

Yna canodd Glyndŵr alawon ar y delyn, a chael cymeradwyaeth fyddarol. Yn rhy gyflym o'r hanner fe ddaeth yn amser i Marged a'r merched adael y neuadd fwyta a throi at eu rhialtwch eu hunain.

'Dewch, ferched! Gadewch i'r dynion wneud fel y mynnan nhw. Mae pethau pwysicach gennym ni i'w gwneud!'

Cyn gynted ag y caeodd y drysau derw o'r tu ôl iddynt, distawodd y dwndwr. Difrifolodd y cwmni. Aethant i sgwrsio'n isel nes nad oedd dichon i neb o'r tu allan glywed yr un gair a ddywedent. Roedd rhyw gynllwyn dirgel ar droed.

*L*LOSGI!

Llosgi!

Yng ngolau'r lleuad yr oedd gŵr unig yn eistedd a'i gefn ar dalcen ei gartref, yn pendroni'n ddwys. Newydd gyrraedd yn ôl o Sycharth yr oedd y dyn hwnnw, a'i geffyl yn disgleirio gan chwys. Byddai'r gŵr yn hamddena dan y lleuad lawn i roi trefn ar ei feddyliau tra byddai'r gwas stabal yn gofalu am ei farch.

'Ac mae pethau mawr i ddod, oes yna?' meddai llais o'r tywyllwch.

'Tudur ap Gruffudd Fychan! Ti sydd yna! Fe roist ti fraw imi.'

'Fe ddylet ti fod yn gwybod fy mod i ar fy ffordd draw yma, a thithau'n broffwyd i Owain Glyndŵr,' meddai Tudur yn ddireidus. 'Ond beth bynnag am hynny, rwyt ti'n edrych fel petai dy feddwl di ymhell iawn o Ffinnant.'

Gwenodd y proffwyd.

'Dwi ddim yn ystyried symud tŷ, os mai dyna sy'n dy boeni di! Yn y cartref yma yn Ffinnant yng Nghynllaith y ces i fy ngeni, ac yn y cartref yma yn Ffinnant yng Nghynllaith y bydda i farw, os Duw a'i myn. Na, dim ond fy meddwl i sydd ymhell o Ffinnant. Meddwl am sgêm Glyndŵr oeddwn i, fel tithau, mae'n siŵr.'

'Does dim arall wedi bod ar fy meddwl i drwy'r dydd, ti'n iawn. A dweud y gwir plaen, dod yma wnes i i ofyn faint o obaith sydd i'r cynllun lwyddo. Dim ond ti sy'n medru gweld i'r dyfodol. Dim ond ti, Crach Ffinnant, a gafodd ddawn proffwydo. Fe gei di'r darn aur yma i ti dy hun am dy gyngor, dim ond iti ddweud

y gwir yn grwn. Os mai crasfa sydd i ddod, dywed hynny'n glir. Gwell darfod â'r syniad ar unwaith na gorfod stumogi rhagor o greulondeb Reginald Grey a Harri Hotspur petaen ni'n methu.'

Pwysodd Crach Ffinnant yn ôl yn erbyn talcen oer y tŷ. Syllodd yn hir i lygad y lleuad. Pan atebodd gwestiwn Tudur ap Gruffudd Fychan roedd llais y Crach yn fwyn.

'Mae teimlad cynnes yn yr aer.

Mae pob diferyn o ddŵr yr afon yn barod i roi diod i ni.

Bydd pob carreg yn codi o'r ddaear i faglu'r gelyn.

Bydd pob cangen a deilen yn ein cysgodi a'n hamddiffyn.

Bydd golau'r lleuad yn feddal wrth inni gerdded yn ei belydrau.

Dim ond sŵn cyfeillion sydd i'w glywed yn yr aer.

Mae Mair a'r saint drosom ni!'

Lledodd gwên lydan dros wyneb Tudur Fychan.

'I'r dim,' meddai. 'I'r dim. Dyna'r union ateb yr oeddwn i am ei glywed. Tan fory, Crach Ffinnant, da bot ti!' Diflannodd Tudur yr un mor sydyn ag y daeth.

Yn dawel fach bu Crach Ffinnant yn synfyfyrio am ychydig wedyn. Ond pan orweddodd i gysgu o'r diwedd, a thynnu'r croen gafr dros ei ysgwyddau a chau ei lygaid i olau'r lleuad, yr oedd awgrym o wên ar ei wefusau hardd.

Bore trannoeth yn gynnar, daeth y cynllwynwyr at ei gilydd yng Nglyndyfrdwy. Safai pob un yn gadarn, ysgwydd yn ysgwydd: Gruffudd, mab hynaf Owain

Glyndŵr; Tudur, brawd Glyndŵr; brodyr Marged, sef Gruffudd a Phylib Hanmer; gŵr i chwaer Glyndŵr, sef Robert Puleston; a llawer iawn o berthnasau a ffrindiau eraill. Yr oedd Hywel Cyffin, deon Llanelwy, yno gyda'i ddau nai, Ieuan Fychan o Moeliwrch a Gruffudd ab Ieuan o'r Lloran Uchaf. Ac wrth gwrs, yr oedd Crach Ffinnant lawn mor uchel ei gloch â neb.

Ond buan y tawelodd cyffro'r dynion pan ddaeth Owain Glyndŵr, yn ei holl ysblander, i sefyll o'u blaenau. Pesychodd un o'r dynion yn bwysig, a charthu'i wddf. Darllenodd yn uchel ac yn bwyllog o'r sgrôl a oedd yn agored o'i flaen.

'Hyn sydd i'ch hysbysu, drwy'r proclamasiwn hwn, ein bod ni sydd yma yn bresennol, o'r dydd hwn hyd ddydd angau, yn cydnabod Owain Glyndŵr, Arglwydd Cynllaith a Glyndyfrdwy, yn Dywysog Cymru. Byddwn yn ffyddlon iddo ef, ac iddo ef yn unig, fel arweinydd ein gwlad a'n pobl.'

'Henffych Dywysog Cymru!' Cododd pob un ei gleddyf i ddangos eu bod yn cytuno i'r carn â phob gair. Bu hen ddathlu yng Nglyndyfrdwy y noson honno.

Ddeuddydd yn ddiweddarach yr oedd yr un criw yn carlamu fel y gwynt i gyfeiriad Rhuthun. Ar eu ffordd, gwibient heibio i fythynnod gwiail a chartrefi syml o goed a phridd. Dim ond amser i godi llaw'n frysiog ar y marchogion a oedd gan y gwerinwyr hynny. Roedd pawb yn rhy brysur yn paratoi ar gyfer Dydd Gŵyl Mathew. Dim ond tridiau oedd tan Ffair Fathew ar Fedi 21, 1400, ac roedd cymaint i'w wneud cyn y diwrnod hwnnw.

Roedd angen dewis pa rai o'r deg mochyn bach i'w rhoi yn y sach i fynd i'w

gwerthu, pa ffrwythau oedd yn ddigon aeddfed i'w tynnu, faint o gaws i'w lapio, faint o fenyn i'w roi mewn potiau pridd ar gyfer stondin y ffair. Ond nid oedd un yn rhy brysur i sylwi ar y marchogion yn mynd heibio. I ble'r oeddynt yn mynd? Beth allai fod ar droed? Roedd y wlad yn ferw o sïon cyn canol y bore.

Buan y sylweddolodd pobl Rhuthun ble'r oedd pen y daith. Roedd byddin gref o tua dau gant a hanner o Gymry wedi casglu tu allan i'r dref. Byddai'n rhaid i'r fyddin Gymreig daro'r dref yn sydyn. Atseiniodd rhyfelgri'r Cymry yn erbyn waliau cerrig y castell, a rhuthrwyd ar y dref o bob cyfeiriad.

Saethwyd cawod sydyn o saethau llym nes bod Saeson Rhuthun yn eu gwisgoedd gwychion yn griddfan yn eu gwaed. Roeddent wedi'u dal. Doedd neb yn disgwyl i'r Cymry godi twrw bach na mawr.

Rhoddodd y tanwyr fflam ym môn y cartrefi coed. Munud neu ddau ac yr oeddynt yn goelcerth. Gyrrwyd y Saeson o'u cartrefi, pob un yn falch o gael dianc cyn i'r distiau eirias syrthio am eu pen. Herciodd yr hen ŵr olaf drwy'r drws, ei ddillad ar dân, yn llosgi'n fyw.

'Llosgwch bopeth yn lludw!' bloeddiodd Glyndŵr.

Wrth i'r fflamau godi'n uwch, a'r gwres yn chwyddo fel toes drwy'r dref, gwyddai Glyndŵr fod ei awr wedi dod. Llifai gwaed tywysogion Powys a Deheubarth drwy ei wythiennau. Roedd yn Gymro hyd fêr ei esgyrn. Ni allai fyw mwyach dan iau Harri IV a'i giwed.

'Rhyddid i'r Cymry!' taranodd Glyndŵr dros ruthr y brwydro.

Yswyd cyrff y Saeson gan y fflamau creulon. Methai plant a babanod ag anadlu gan y cymylau o fwg du trwchus a lanwai eu hysgyfaint. Yr oedd llosgi Rhuthun yn gyflafan fawr. Erbyn machlud haul yr oedd y dref yn llanastr. Roedd Glyndŵr wedi ffoi, ac yn carlamu ar ffrwst i gyfeiriad Dinbych. Yno y byddai'n taro nesaf! Fyddai dim modd ei atal bellach.

Yr oedd tristwch mawr yn Rhuthun, wrth gwrs, a gellid clywed sŵn crio yn adfeilion y dref ymhell, bell i'r nos.

CEUBREN

YR ELLYLL

CEUBREN YR ELLYLL

Roedd gan Owain Glyndŵr un cefnder na allai ei oddef. Y funud y gwelai ef teimlai Owain fel ei foddi mewn cwrw cynnes. Hywel Selau oedd ei enw ac yr oedd Hywel wedi gwahodd Owain draw ato i'w gartref yn Nannau. Nid fod Hywel yn rhy hoff o Owain chwaith. Bobl bach, nac oedd! Bob tro y gwelai Hywel ef teimlai awydd am ei flingo.

Bai Abad Cymer oedd y cyfarfod hwn. Mae'n rhaid ei fod wedi cael twtsh o rew ar ei gorun moel i fod wedi meddwl am y fath syniad. Rhai od iawn oedd y mynaich. Casglent greiriau (fel hen esgyrn a hen ddannedd) a meddwl y deuent â bywyd newydd i bawb drwy'r ardal. Clywsai Owain Glyndŵr fod mynaich odiach yn Lloegr. Yno cadwai cannoedd o fynachlogydd ddant o geg Apollonia, nawddsant y ddannoedd, er mwyn cael gwared ar y boen o gael dannedd drwg. Ond y cwestiwn mawr oedd hwn: sut cafodd Apollonia gannoedd o ddannedd yn y lle cyntaf? Yr oedd yn ddryswch mawr i Owain Glyndŵr.

Ta waeth am hynny. Dyma'r diwrnod yr oedd Owain a Hywel i gyfarfod â'i gilydd ym mhlasty Nannau. Yno, disgwyliai'r abad iddynt ddatrys eu problemau a dod yn ffrindiau o'r diwedd. Beth oedd yn bod ar y ddau, p'un bynnag? Does bosib na allai pryd mawr o fwyd a sgwrs gall ei setlo, unwaith ac am byth. Roedd Abad Cymer yn wên o glust i glust, yn nodio'i ben, ac yn rhwbio'i fol yn hapus wrth feddwl y byddai Hywel ac Owain yn ffrindiau gorau ymhen dim o dro.

Baedd gwyllt a saws afal oedd i ginio y diwrnod hwnnw. Eisteddai Hywel ac Owain un bob pen i'r bwrdd yn gwylio'i gilydd.

'Mae'r pryd yma'n ardderchog, Hywel. Popeth yn fendigedig. Diolch iti am dy groeso,' meddai Owain.

Serch ei eiriau roedd Owain wedi gwneud yn siŵr nad oedd wedi bwyta un dim nad oedd Hywel hefyd wedi ei fwyta. Allai Owain byth â bod yn sicr nad oedd gwenwyn yn llechu ar y bwrdd yn rhywle, er gwaethaf y wên deg ar wyneb ei gefnder. Bwli a dihiryn oedd Hywel Selau, ni waeth beth a ddywedai Abad Cymer.

'Rwy'n clywed dy fod di'n dipyn o foi am hela, Owain. Beth am i ni'n dau roi tro drwy'r goedwig? Fe ddylai fod carw neu ddau go nobl yna.'

'Gwych! Fe af i gasglu fy saethau,' meddai Owain a'i feddwl yn dechrau anesmwytho. Byddai'n rhaid iddo fod yn ofalus iawn.

Ac felly, ar awgrym Hywel Selau, fe aeth y ddau gefnder allan i'r coed a'r prysgwydd. Ar ddiwrnod cyffredin byddai Owain Glyndŵr wedi bod wrth ei fodd. Roedd yn ddiwrnod godidog, yr haul yn gynnes ar eu cefnau heb ddim chwa o wynt yn unman. Ond rhai felly oedd uchelwyr Cymru i gyd. Os na fyddent yn ymladd, yna byddent yn hela.

Dilynodd Hywel Selau ei gefnder drwy'r prysgwydd. Ar ei gefn cariai Hywel fwa o ywen hyblyg. Cariai fwndel o saethau llymion mewn cawell saethau ar ei glun. Crogai dagr finiog iawn mewn gwain ledr wrth ei ganol. Gwnaeth Owain gamgymeriad mawr yn mynd i'r prysgwydd yn gyntaf, a Hywel a'i holl arfau tu cefn iddo. Ond roedd yn rhy hwyr. Doedd dim modd newid y drefn. Prysurodd Owain Glyndŵr yn ei flaen er mwyn rhoi ychydig o bellter rhyngddo a'i gefnder.

'Carw!' meddai Hywel yn gyffro i gyd.

Crwydrai carw braf ar draws y llannerch heulog o'u blaenau. Mor gyflym â chwip roedd ei fwa yn llaw Hywel a saeth farwol ar linyn y bwa yn barod i'w saethu. Tynnodd Hywel y llinyn yn ôl yn dynn. Gwibiodd y saeth o'r bwa. Ymlaen â hi. Ond nid i gyfeiriad y carw. Owain Glyndŵr oedd yr ysglyfaeth. Trawodd y saeth Owain ar ganol ei frest, yn union yn ei galon.

'Y bradwr!' griddfanodd Owain rhwng ei ddannedd wrth syrthio ar ei liniau i'r llawr. 'Myn y saint! fe dalaf i'r pwyth am hyn. O gwnaf!' addawodd Owain iddo'i hunan. Roedd Owain Glyndŵr wedi cael cnoc galed, ond nid oedd fawr gwaeth. Gwisgai lurig o gadwyni mân o dan ei grys. Roedd ar ei draed cyn i neb fedru amgyffred beth a oedd wedi digwydd.

Llamodd at ei gefnder, a'i ddagr yn fflachio'n ei law. Pan oedd o fewn dau gam i Hywel Selau cododd hwnnw ei ddagr yn uchel.

'Roeddet ti wedi gwisgo'n ofalus bore heddiw, rwy'n gweld,' meddai Hywel gan wenu'n watwarus. 'Hen dro. Ond rwy'n deall dy gêm di yn awr. Mi dynna i dy ddau lygad o dy ben â'r ddagr yma. Fedri di na neb arall fy rhwystro i.'

Anwybyddodd Owain ei ddirmyg. Roedd yn rhy brysur yn gwylio pob symudiad a wnâi Hywel. Ni allai Owain fforddio bod yn ddiofal. Un camgymeriad, a byddai ar ben arno.

Yn sydyn rhuthrodd ysgyfarnog ifanc drwy'r tyfiant. Tynnwyd sylw Hywel gan y sŵn. Gwelodd Owain ei gyfle. Neidiodd i arddwrn Hywel a rhwygo'r ddagr o'i law.

'Na!' ymbiliodd Hywel. 'Paid â'm lladd i. Fe gei di beth bynnag y gofynni di amdano. Paid â'm lladd i!'

Caledodd wyneb Owain Glyndŵr.

'Baw isa'r domen wyt ti, Hywel Selau,' meddai.

Cododd Owain ei gyllell greulon a'i gwthio'n araf o dan asennau ei elyn. Byrlymodd rhyw sŵn o gorn gwddf Hywel cyn iddo lithro'n dawel i'r llawr, yn crafangu'n ddiymadferth am y metel oer yn ei ochr.

'Dyna sy'n dod i'r sawl sy'n croesi Owain Glyndŵr,' meddai Owain yn dawel.

Chwiliodd o'i gwmpas am le i gladdu'r corff, ond doedd ganddo ddim rhaw i dorri bedd. Felly fe lusgodd Owain gorff Hywel Selau dan gysgod derwen fawr. Sylwodd fod ei chanol yn wag.

'Mae digon o eisiau bwyd arnat ti, dderwen fach,' meddai Owain. 'Fe wn i am bryd bach blasus iti.'

Gwthiodd Owain gorff Hywel Selau i foncyff gwag y dderwen, a'i adael yno i bydru.

Flynyddoedd mawr ar ôl y diwrnod hwn, pan oedd plas Nannau wedi ei losgi'n wenfflam a phob carw ac elain a oedd yno wedi ffoi i bedwar cyfeiriad, daethpwyd o hyd i ysgerbwd yng nghoedwig Nannau, yng nghanol coeden dderwen fawr. Edrychai'r ysgerbwd yn union fel bwbach, ac o hynny allan doedd dim ond un enw i'w roi ar y goeden wag, sef 'Ceubren yr Ellyll'.

BRAD

YN Y

CASTELL!

BRAD YN Y CASTELL!

Yr oedd John Bold, cwnstabl castell Caernarfon, uwchben ei ddigon. Yr oedd newydd gael ei dalu gan y brenin, ac ar waelod y god ledr frenhinol yr oedd rhyw swllt neu ddau dros ben ei gyflog arferol. Taflwyd cod drom arall ar y bwrdd o'i flaen, yn llawn arian gleision i dalu'r milwyr. Doedd dim rhyfedd fod John Bold mor hwyliog.

Tu allan i gastell Caernarfon doedd pethau ddim mor llewyrchus. Roedd haul tanbaid yr haf wedi hen fachlud. Yn ei le daeth deg gradd o farrug. Llerciai rhew du dan gesail y cloddiau. Roedd y llyn hwyaid wedi rhewi'n galed fel dur a'r plant eisoes wedi clymu esgyrn anifail dan eu traed er mwyn cael sglefrio. Roedd y caeau'n wyn fel eisin ar deisen Nadolig.

Ond o dan yr harddwch roedd helynt. Yn un peth roedd olwynion cert Dafydd Ddu wedi rhewi'n sownd yn y mwd, a'i gi wedi trigo yn yr oerfel.

'Mae'r pethau hyn yn digwydd i bawb bob gaeaf,' meddai Dafydd i gysuro'i wraig. 'Ac mi roedd Parddu wedi mynd yn hen iawn beth bynnag. Roedd ei ddyddiau drosodd.'

'Un peth ydi dipyn o rew ac oerfel, ond peth arall ydi cael John Bold yn ei lordio hi droson ni a'i fol yn dew ar fwyd y brenin,' gwylltiodd Mali. '*Ni* sy'n talu trethi i'w cadw nhw tua'r castell yna mewn cig a chwrw. *Ni* sy'n llwgu i farwolaeth yng ngharchar y brenin am ddwyn dafad i gadw'r plant rhag marw o newyn. *Ni* sy'n cael ein llusgo i farwolaeth tu ôl i geffyl am sarhau gard y brenin. Llwgu, llusgo, crogi, creithio - dwi wedi cael hen ddigon ar bethau fel y maen nhw ac mae'n hen bryd iti godi ar dy draed rhynllyd ac ochri gyda Glyndŵr.'

'Ac mae'n hen bryd i tithau ddysgu siarad yn fwy suful, Mali. Mae'n dda na chlywodd John Bold mohonot ti'n brygowthan gynnau fach. Fyddai dim yn well gan wŷr y castell na thorri dy dafod di allan.'

'A fyddai dim yn well gen innau na mymryn bach o frwydr yn erbyn ciwed y castell. Mi laddwn i bob un pe cawn i hanner cyfle. A dyna'r gwir!'

Grwgnachodd Dafydd Ddu dan ei anadl. Yn dawel fach roedd wrth ei fodd, ond doedd wiw iddo ollwng y gath o'r cwd. Tipyn o glep oedd Mali Ddu ar y gorau, wrth ei bodd yn prepian. Petai Dafydd yn cyfaddef wrthi beth a oedd ar gerdded ganddo ymhen llai na deuddydd, byddai pawb drwy'r wlad yn gwybod ei gyfrinach. Cadw'n dawel am ychydig oriau eto fyddai orau, rhag ofn i'r cynllwyn ddod i glustiau John Bold.

Dyna oriau hwyaf ei fywyd, ond o'r diwedd roeddynt drosodd a Dafydd ar ei ffordd i Gaernarfon dan esgus mynd i bedoli ei geffyl yn efail y gof. A hithau'n ddechrau mis Tachwedd roedd y dyddiau'n fyr. Dan gysgod nos symudai'r Cymry o bob rhan o'r gogledd yn nes, nes at gastell Caernarfon. Beth oedd Crach Ffinnant wedi'i ddweud y tro hwn?

'Mae'r eryr yn cysgu.

Mae'r frenhines yn hepian.

Bydd y düwch yn dawel.

Ond bydd y ffynnon yn ffrwtian.'

Beth oedd ystyr hynny? Gwyddai Dafydd Ddu am Dŵr yr Eryr a Thŵr y Frenhines fel cefn ei law. Bu'n delynor yn y castell am flynyddoedd cyn iddo fynd yn rhy hen i John Bold ei ailgyflogi. Roedd y Tŵr Du a Thŵr y Ffynnon hefyd yn gyfarwydd iddo. Ond sut y gwyddai Crach Ffinnant amdanynt? A beth am y ddwy fynedfa i'r castell, y ddau borth, sef Porth y Brenin a Phorth y Frenhines? Dichon y byddai'n dawel wrth Borth y Frenhines os oedd honno'n hepian. Ond ni ddywedodd Crach Ffinnant ddim gair am Borth y Brenin. Sut le fyddai wrth hwnnw ar doriad gwawr? Corddai stumog Dafydd Ddu, dim ond wrth feddwl am y bore.

'Bydd yn rhaid ei chymryd hi fel mae'n dod,' bodlonodd Dafydd o'r diwedd.

Ymestynnai'r pedwar tŵr eu pennau'n uchel i'r awyr wrth i Dafydd Ddu gyrraedd tref Caernarfon a chlymu afwynau ei geffyl wrth echel trol. Symudodd Dafydd yn dawel i gysgod Tŵr yr Eryr. Yno gwelai gysgodion pedwar dyn, ac uwch eu pennau ar frig y tŵr, saethwyr y brenin yn sgwrsio'n dawel ymysg ei gilydd. Doedden nhw'n amau dim.

Cripiodd y Cymry drwy'r tywyllwch at Borth y Brenin a Phorth y Frenhines. Un cam gwag, un bagliad, a byddai'n bwrw saethau am eu pennau yn lle bwrw eira. Ymlaen â hwy'n llechwraidd. O'r diwedd! Roeddynt yn ddiogel am y tro. Udodd pwtyn o Gymro a'i ddannedd fel stwmps un llef hir i'r tywyllwch. Atebwyd ef gan udo ci o'r ochr draw i furiau'r castell. Roedd y Cymry yn paratoi i ymosod.

Dyma foment fawr! Ymosod ar gastell cryfaf y brenin yng Ngogledd Cymru. Erbyn y bore bach byddai baner Owain Glyndŵr, draig aur ar gefndir gwyn, yn cyhwfan yn hyderus dros furiau castell Caernarfon. Dyna ddangos i bawb nad oedd Owain Glyndŵr yn ddyn i ildio'i freuddwyd ar chwarae bach.

Gostyngwyd y bont grog hanner y ffordd i'r llawr cyn i'r Saeson sylweddoli bod dim o'i le. Y gard ar y porth a welodd beth a oedd wedi digwydd.

'Brad!' gwaeddodd y gard o'r porth. 'Y seiri coed! Cymry ydyn nhw! Nhw sydd wedi gostwng y bont grog! Lladdwch nhw bob un!'

'Mae'r porth ar agor!' Cododd cannoedd o Gymry o gysgodion y castell a thyrru at y bont grog.

'Pla ar y Saeson!'

'Angau i bob un o elynion y Cymry!'

Ond nid felly y bu hi'r noson honno. Cyn i Dafydd Ddu fedru croesi'r bont grog fe blannwyd dagr yng nghefn y seiri coed. Codwyd y bont wrth i'r Cymry lifo drosti ac aeth pob un dros ei ben i'r ffos.

Roedd brwydr fawr yn cyniwair wrth droed Tŵr y Ffynnon hefyd. Gobeithiai milwyr ifanc y Saeson ennill clod mawr drwy ddal a charcharu Glyndŵr a'i filwyr. Gobeithiai'r saethwyr Seisnig hwythau ddod yn enwog am roi blaen saeth drwy galon Glyndŵr. Yr oedd pawb yn y castell yn ysu am ei waed.

Roedd Crach Ffinnant yn llygad ei le felly wrth sôn am y ffynnon yn ffrwtian.
Yno, wrth Dŵr y Ffynnon, fe laddwyd llawer iawn o filwyr Glyndŵr y noson
enbyd honno. Tri chant o gyrff Cymreig. Ond nid oedd Glyndŵr yn eu plith. Bu
Owain yn lwcus i ffoi o'r dref yn un darn, a'i faner gydag ef heb ei chyhwfan.
Serch hynny, roedd Owain wedi rhoi ei ddwrn yn llygad y brenin wrth dolcio castell
Caernarfon. Y tro nesaf ...

Ar ei ffordd adref at Mali, a'r wawr yn torri'n goch dros Ynys Môn, digon

cymysglyd ei feddwl oedd Dafydd Ddu. Gwingai gyda phob cam ymlaen a roddai'r march. Yn ystod y brwydro fe hyrddiwyd Dafydd Ddu yn erbyn wal garreg y castell nes torri pont ei ysgwydd. Bu ond y dim iddo gael ei ddal. Byddai Mali'n falch o'i weld heno! A fyddai hi 'run eiliad yn rhwymo'i ysgwydd mewn darn o gotwm. Hen dro hefyd. Byddai'n rhaid i Dafydd Ddu roi ei gleddyf yn y wain am dipyn ar ôl hyn. Ond am y byd yn grwn ni fyddai wedi colli'r noson arswydus honno yng nghastell Caernarfon.

$\mathcal{B}$RWYDR

BRYN GLAS

Brwydr Bryn Glas

Ni allai neb ymlacio. Nid dyma'r amser. Roedd cyhyrau pob milwr yn dynn fel llinyn bwa. Dim ond ychydig funudau eto ac fe fyddai'r utgorn rhyfel yn seinio dros y wlad. Fe fyddai byddin Owain Glyndŵr yn ymosod.

Edrychai'n o ddu ar y Cymry. Byddin fechan fach oedd byddin Owain Glyndŵr o'i chymharu â byddin Harri IV. Edrychodd Bleddyn Hael draw i gyfeiriad y Saeson. Cuchiodd. Roedd byddin y Cymry'n chwip o fyddin, ond roedd pum gwaith cymaint o filwyr gan Harri IV. Safent ar ben Bryn Glas ym Maesyfed yn fyddin fawr gadarn, yn barod i fwyta'r Cymry i de.

'Maen nhw'n edrych yn fileinig o greulon! Ond rhai felly yw milwyr Harri IV. Fe wnân nhw unrhyw beth am arian,' meddai Llywelyn y Glyn, un o filwyr tlotaf Glyndŵr.

'Dyna'r gwahaniaeth rhyngddyn nhw a ni,' meddai Bleddyn Hael. 'Maen *nhw*'n ein lladd *ni* am eu bod yn cael eu talu'n dda am wneud hynny. Rydan *ni*'n eu lladd *nhw* er mwyn peidio â gorfod byw dan fawd Saeson creulon.'

'Dau swllt y dydd! Dyna faint mae marchogion Lloegr yn ei gael,' meddai Llywelyn y Glyn. 'Ffortiwn! Meddylia faint o benwaig gaet ti am swllt! Cant, o leia!'

Daeth eu pennaeth, Rhys Gethin, heibio ar ei geffyl gwyn. Craffodd i weld bod

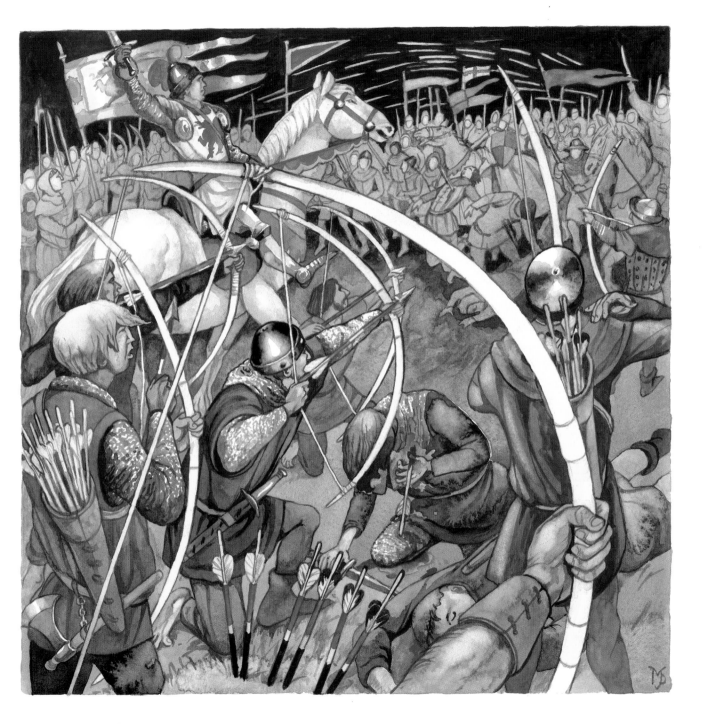

y llinellau'n syth. Tawelodd pawb wrth ei weld, a gosod wynebau eu ceffylau tua Bryn Glas. Y funud honno, yn awel y bore, a phob Cymro yn barod i ymladd hyd farwolaeth pe byddai raid, yr oedd heddwch meddwl yn gymysg â'r tyndra. Byddai'r frwydr hon yn un fawr a phwysig. Byddai'n angau i lawer. Yr oedd yn rhaid i bob un fod ar ei orau.

'Ta-ra-ta-ra-ra!'

Rhwygodd sŵn yr utgorn drwy'r tawelwch. Ymlaen â'r saethwyr bwa croes. Taniwyd storm o saethau at y Saeson. Torrwyd eu llinell flaen. Trodd sawl Sais yn ei ôl i ganol ei filwyr ei hun i geisio osgoi'r gawod saethau. Troesant yn syth i ganol llinell o farchogion arfog. Lladdwyd degau o saethwyr dan bedolau'r meirch. Llifai gwaed y Saeson yn dew dros gaeau Bryn Glas.

Ond roedd argyfwng gwaeth i ddod. Cododd sgrech o ddychryn o blith saethwyr Lloegr. Dechreuodd cannoedd ohonynt saethu at eu dynion eu hunain. Sais yn saethu Sais!

Dyma beth a oedd wedi digwydd. Yr oedd cannoedd o saethwyr Cymreig wedi ymuno â byddin Harri IV am gyflog. Yn sydyn, ar ganol brwydr Bryn Glas, trodd pob un ar ei sawdl a helpu'r fyddin Gymreig! Roedd yn draed moch. Taniwyd ffrwd ar ôl ffrwd o saethau. Lladdodd y saethwyr Cymreig a oedd ym myddin Harri IV gatrawd gyfan o Saeson heb droi blewyn.

Gwingai cyrff marw a chyrff hanner marw blith draphlith drwy'i gilydd. Roedd capteiniaid y Saeson mewn penbleth fawr.

Manteisiodd capteiniaid y Cymry ar hynny. Brwydro tactegol fyddai orau. Symudodd Rhys Gethin ei ddynion yn gyfrwys. Ef oedd cadfridog Owain Glyndŵr yn y fyddin hon. Cyn hir, yr oedd Rhys tu cefn i'r gelyn. Ymosododd i gefn byddin Harri IV. Brwydrodd y Saeson yn galed. Ond roedd y Cymry'n benderfynol. Saethu, sathru, nes bod y gwaed yn tasgu. Gweryrai ceffylau'r Saeson ar ei gilydd mewn ofn. Neidient a thaflent eu marchogion, a charlamu i ffwrdd yn hanner gwallgof.

Ar orchymyn, taflodd y saethwyr Cymreig eu bwâu ac ymosod ar farchogion arfog Harri IV â bwyeill. Aeth bwyell drwy helmed Sais, a dagr drwy esgyrn ei wyneb.

Yr oedd yn olygfa ddigalon iawn. Marchogai capteiniaid y Saeson yn ôl a blaen drwy'r milwyr yn eu hannog i ymladd. Ond roedd gweld twmpathau o Saeson marw, twmpathau mor dal â dyn, yn ormod.

Erbyn i'r Sais olaf ddianc am adref, roedd yn hwyr y pnawn. Ychydig iawn o Gymry a fu farw ym Mrwydr Bryn Glas, prin neb. Ond bu farw cannoedd ar gannoedd o Saeson y diwrnod hwnnw. Yn eu plith yr oedd rhai o filwyr gorau Lloegr: Robert Whitney, Kinard de la Bere, a Walter Devereux. Yn goron ar y cyfan, yr oedd Edmund Mortimer, perthynas i'r brenin, ymhlith y carcharorion. Dathlodd y Cymry fuddugoliaeth fawr, arwrol y pnawn hwnnw.

Am ddyddiau, roedd gormod o ofn ar y Saeson i ddangos eu hwynebau yng nghyffiniau Bryn Glas ym Maesyfed. Gorweddai cyrff y milwyr a fu farw ar lechweddau Bryn Glas heb neb i'w tendio, heb neb i'w claddu. Yn haul poeth diwedd Mehefin 1402, aeth merched y Cymry allan am dro drwy'r cyrff coch drewllyd, a'u darnio a'u torri heb ofal yn y byd.

CYFRAITH

A THREFN

CYFRAITH A THREFN

Ar doriad gwawr yn Llundain un bore oer ym mis Hydref safodd un o wŷr y Brenin Harri IV ar risiau'r palas brenhinol a sgrôl bwysig yn ei law. Agorodd y sgrôl yn araf, a'i darllen yn uchel i'r byd a'r betws ei glywed.

'Hyn sydd i'ch hysbysu bod Ei Fawrhydi, y Brenin Harri IV, ym mis Hydref yn y flwyddyn 1402, wedi deddfu fel hyn:

1 ⁓

Does dim un Cymro yn cael prynu tir nac eiddo yn y bwrdeistrefi Seisnig sydd yng Nghymru, nac yn y bwrdeistrefi sydd ar y Gororau, hynny yw, y bwrdeistrefi sydd ar y ffin rhwng Cymru a Lloegr, er enghraifft Caer, Amwythig, Llwydlo, Llanllieni, Henffordd, Caerloyw, Caerwrangon, nac yn y trefi marchnad ar y Gororau. Felly, ni chaiff unrhyw Gymro fyw yn y trefi na'r bwrdeistrefi hyn.

2 ⁓

Dim ond ar ddiwrnod marchnad y caiff Cymro ddod i mewn i'r trefi.

3 ～

Bydd yn rhaid i bawb dalu trethi am gael marchnata yn y trefi. Dim ond pwysau a mesurau Seisnig sydd i gael eu defnyddio yn y trefi wrth brynu a gwerthu.

4 ～

Ni chaiff Cymro gario arfau mewn unrhyw dref na marchnad nac eglwys na chyfarfod cyhoeddus, nac ar y ffordd.

5 ～

Does dim un Cymro yn cael bod yn swyddog yn y bwrdeistrefi Seisnig sydd yng Nghymru, nac yn y bwrdeistrefi sydd ar y Gororau, hynny yw, y bwrdeistrefi sydd ar y ffin rhwng Cymru a Lloegr, er enghraifft Caer, Amwythig, Llwydlo, Llanllieni, Henffordd, Caerloyw, Caerwrangon, nac yn y trefi marchnad ar y Gororau, oni bai am esgobion, a'r rhai y mae'r brenin yn eu dewis.

6 ～

Ni chaiff Sais sydd wedi priodi merch sy'n perthyn i Owain Glyndŵr, neu ferch sy'n gefnogol i Owain Glyndŵr mewn unrhyw ffordd, ddal swydd yng Nghymru na'r Gororau. Os oes Sais yn dal swydd heddiw, ac yn y dyfodol yn priodi merch sydd wedi cefnogi'r bradwr Glyndŵr, yna bydd y Sais yn colli ei swydd yn syth.

7 ~

Os oes Sais yn cael ei gyhuddo o dorri'r gyfraith yng Nghymru, dim ond Saeson da eu gair sydd yn cael bod ar y fainc, neu'n aelodau o'r rheithgor, sy'n gwrando'r achos. Does dim un Cymro yn cael penderfynu a yw Sais yn euog neu'n ddieuog o unrhyw drosedd yng Nghymru. Os yw Sais yn euog o drosedd, nid oes Cymro yn cael penderfynu sut i'w gosbi.

8 ~

Mae'n rhaid gwarchod pob castell o eiddo'r Saeson yng Nghymru ac ar y Gororau. Gorau oll po fwyaf o filwyr sy'n amddiffyn y cestyll hyn yn erbyn y Cymry.

9 ~

Mae'n anghyfreithlon i Gymry gyfarfod â'i gilydd yn gwmni mawr oni bai fod ganddynt reswm da iawn dros wneud hynny, a bod swyddogion y Goron yn bresennol. O hyn ymlaen, nid yw'r Cymry yn cael ffurfio torf am unrhyw reswm yn y byd rhag ofn eu bod yn cynllwynio yn erbyn y Saeson.

10 ~

Nid yw'r beirdd Cymraeg yn cael crwydro'r wlad o gartref un gŵr bonheddig i'r llall yn canu cerddi. Mae'n rhaid iddynt ddal eu tafod, ac aros yn yr un lle, a gwneud gwaith caled, nid prepian cerddi sy'n moli gwŷr bonheddig Cymru.

11 ～

Ni chaiff neb arall grwydro'r wlad o un man i'r llall chwaith, rhag ofn eu bod yn trefnu gwrthryfel, neu'n creu terfysg mewn rhyw ffordd. Mae'n rhaid i bawb fyw mewn cartref sefydlog a gweithio'n galed bob amser.

12 ～

Lladdwch bob troseddwr o Gymro sy'n cael ei ddal yn nhref Caer ar ôl machlud haul drwy dorri ei ben â bwyell finiog. Ni ddylid cadw'n fyw un Cymro sydd wedi ei gael yn euog o drosedd ddifrifol.

Fel hyn y daw i ben orchmynion y brenin.'

Tipyn

O DWYLL!

Tipyn o dwyll!

'Mae'r pysgodyn yma'n drewi! Ma's ag ef!' Gafaelodd y cogydd yng nghynffon y penfras a brasgamu at y drws gan ddal ei drwyn rhwng ei fys a'i fawd wrth fynd.

'Ych a fi! *Ych* a *fi!*'

Roedd cegin Syr Lawrence Berkerolles, Arglwydd Coety yng Nghwm Ogwr ym Morgannwg, yn dechrau teimlo'r pwysau. Ers wythnosau roedd Owain Glyndŵr wedi bod yn ymosod ar y castell, ac roedd yn dal i wasgu. Nid oedd Syr Lawrence wedi rhoi blaen ei drwyn tu allan i'r castell ers mis. Ni fu'n crwydro'r tir bras yn y dyffryn yn brolio'i wartheg tew. Ni fu'n hela ceirw yn y coedydd gyda'i ffrindiau. Ni fu'n chwyrnu yn ei gadair drwy'r prynhawn nes bod llawr y siambr yn crynu. Dim ond byw mewn ofn y byddai Owain Glyndŵr, o'r diwedd, yn llwyddo i gipio'r castell.

Ni fyddai Syr Lawrence Berkerolles wedi cyfaddef hynny wrth neb, wrth gwrs. Broliwr oedd Syr Lawrence hyd fodiau ei draed. Brolio'i wraig. Brolio'i blant. Brolio'i gastell. Brolio'i gogydd. A doedd dim ond gobeithio y byddai storfa fwyd y castell yn para'n hwy nag amynedd Glyndŵr.

Heno roedd y cogydd yn nerfus. Roedd dau ymwelydd wedi ymddangos yn ddirybudd wrth borth y castell ac wedi eu gwahodd i aros am swper gyda Syr Lawrence. Gŵr canol oed, golygus iawn oedd un ohonynt. Dotiai pawb ato.

Gwisgai ddillad smart, pob darn yn y steil ddiweddaraf. Yn lle gwisg laes, hen ffasiwn, gwisgai diwnig byr o sidan coch, a sanau tynn. Am ei draed roedd ganddo esgidiau blaen main wedi'u llunio o ledr meddal o dref Cordofa yn Sbaen, a llun eryr aur ar eu byclau. Ar ei glogyn o sidan melyn roedd rhimyn o ffwr golau, yn ddigon o ryfeddod. Ni wyddai neb pwy oedd y gŵr hudolus hwn, na dim o'i hanes, ond roedd un peth yn siŵr, roedd wedi dal llygaid y merched i gyd.

Ffrangeg a siaradai'r gŵr â'i was, a Ffrangeg a siaradai'r ddau â Syr Lawrence.

'*Bonjour*, Arglwydd Coety! Bendith Duw arnat!' meddai'r gŵr swanc. 'Rwy'n teithio drwy'r ardal gyda fy ngwas, ar fy ffordd i Aberystwyth. Oes llety yma inni heno?'

'Wrth gwrs, wrth gwrs,' meddai Syr Lawrence. 'Dewch at y tân. Fe ddaw un o'r morynion â bwyd a diod i chi ar unwaith. Ond fe fydd yn rhaid i chi fy esgusodi fi, mae'n ddrwg gen i. Mae'n rhaid imi fynd i siarad â'r saethwyr wrth borth y castell ar fater pwysig iawn.' Ac i ffwrdd â Syr Lawrence at ei filwyr.

Merch ifanc o'r enw Luned a ddaeth â'r bisgedi a'r gwin i'r ddau ymwelydd. Cariai hwy'n ofalus ar hambwrdd aur. Daeth â phowlen o ddŵr glân gyda hi hefyd er mwyn i'r bobl ddieithr gael golchi eu dwylo cyn bwyta.

'Ers pryd wyt ti'n gweithio i Syr Lawrence, Luned?' gofynnodd y gŵr dieithr.

Gwridodd Luned. Roedd yn ferch dlos dros ben. 'Mi fydd yn dair blynedd pan ddaw Calan Gaeaf nesaf, syr,' meddai, dan osod yr hambwrdd ar fwrdd arian trwm o flaen yr ymwelwyr.

Tra oedd y ddau yn bwyta rhoddodd Luned ragor o olosg ar y tân a llanw crochan o ddŵr a'i roi i dwymo yn y fflamau. Roedd y dieithriaid ar eu cythlwng. Fuon nhw fawr o dro yn clirio'r plât bisgedi'n lân, ac yn gwagio pob diferyn o'r cawg gwin.

'Ardderchog, Luned. Ardderchog!' meddai'r ddau.

Rhoddodd Luned dywel gwyn am war y dieithryn pwysicaf a llanw dysgl ifori â'r dŵr cynnes. Golchodd ben y gŵr pwysig a sychu ei wallt â'r lliain gwyn. Yna agorodd gist dderw fechan a thynnu allan rasel ac iddi lafn hir a charn ifori. Siafiodd Luned y gŵr a sychu ei wyneb â'r tywel.

'Gwasanaeth gwych!' meddai'r gŵr swanc, gan roi winc ar ei was. 'Rwy'n hoffi fy lle yn y castell hwn. Byddaf yn siŵr o alw heibio eto pan fyddaf yn yr ardal y tro nesaf.'

'Bydd swper yn y neuadd fwyta ymhen awr, syr,' meddai Luned, 'ac os dewch chi gyda mi fe ddangosaf i chi ble byddwch yn cysgu heno.'

Roedd yn ystafell werth chweil. Rhoddodd Luned gyrtsi i'r dynion dieithr a'u gadael i fwynhau moethusrwydd eu siambr. Y funud y caeodd Luned y drws o'i hôl cododd y gwas at y drws i glustfeinio. Oedd, roedd sŵn traed i'w clywed yn symud ymhellach i ffwrdd bob eiliad, a'r sŵn llestri drud yn tincial ar yr hambwrdd aur yn pellhau gyda phob cam.

Cymraeg a siaradai'r dynion yn awr.

'Myn y saint! Chawson ni mo'n dal! Ond fedrwn ni ddim bod yn rhy ofalus, Tudur. Os daw ein tric i olau dydd fe fyddwn yn sicr o gael ein dienyddio. Diolch iti am gymryd arnat dy fod yn was imi. Doedd dim ffordd arall o'u twyllo.'

'Y cnaf â thi, Owain Glyndŵr! *Fi* ddylai fod wedi cael fy siafio gan Luned, nid ti!'

Roedd swper Arglwydd Coety cystal pob briwsionyn â swper Sycharth. Roedd aroglau'r pysgodyn drewllyd wedi hen ddiflannu o'r ceginau ac yn ei le daeth aroglau gwyddau rhost a thartenni ffrwythau i lanw'r neuadd fwyta.

'Does dim arwydd o brinder yn dy lys di, Syr Lawrence, er gwaetha'r ffaith fod y dihiryn Glyndŵr yna yn ymosod arnat ti'n gyson. Dyna'r pryd gorau o fwyd a gawson ni erioed. Chawson ni'n dau ddim byd ond digonedd o fwyd a diod er pan ddaethon ni yma, heb sôn am wasanaeth gwych gan Luned.'

'Debyg iawn, debyg iawn,' meddai Syr Lawrence Berkerolles gan sychu ei wefusau yn ei lawes felfed. 'Fi sydd â'r byrddau llawnaf yng Nghymru, ac mae fy seler win yn enwog drwy'r wlad, os nad drwy'r byd.' Pwysodd yn nes at ei ymwelydd. 'Luned? Wel! Does dim brys arnoch chi i adael Morgannwg, foneddigion. Arhoswch yma am ychydig ddyddiau. Bydd Luned yn fwy na pharod i weini arnoch, ddydd a nos.'

'Rwyt ti'n garedig iawn, Syr Lawrence, ond dim ond torri ein siwrnai heno oedden ni wedi'i fwriadu.'

'Nonsens! Nonsens! Arhoswch yma am sbel eto. Fe glywsoch

chi fod Glyndŵr yn yr ardal.
Y lembo llygadrwth! Cyn i
chi'ch dau ymwelydd
cwrtais a boneddigaidd
droi am adref bydd Glyndŵr
yn y ddalfa. Gewch chi weld.'

'Beth ddaw ohono wedyn?'

'Dim ond ei haeddiant. Ei
ddienyddio. A bydd hynny'n rhy dda
iddo. Torri ei ben i ffwrdd â hen gleddyf
rhydlyd wnawn i pe cawn i afael arno.'

'Ti'n ein temtio ni rŵan,' meddai'r Ffrancwr golygus. 'Fe fydden ni wrth ein
bodd yn gweld y sgamp Glyndŵr yna'n mynd i'w farwolaeth!'

Ac aros fu hanes y ddau. Am ddyddiau bwy gilydd mwynhaodd y Ffrancwyr
llon gwmni a llety Syr Lawrence Berkerolles. Yn drwm ei galon, ar y bore
Gwener, fe hebryngodd Syr Lawrence y gŵr bonheddig a'i was at borth y castell.

'Galw heibio, pryd bynnag wyt ti yn yr ardal, ac fe gawn ni barhau'n
cyfeillgarwch,' meddai Syr Lawrence yn eiddgar.

'Diolch iti am dy groeso. Fe ddaethon ni'n ffrindiau mawr mewn byr o dro.
Ond mae'n *rhaid* inni fynd adref heddiw. A rŵan, dyma Owain Glyndŵr a'i
frawd, Tudur ap Gruffudd Fychan, yn ysgwyd llaw â thi, ac yn dymuno dy les.'

Cafodd Syr Lawrence gymaint o sioc, ni allai ddweud yr un gair. Carlamodd Owain a Tudur ymaith fel bollt. Yr oeddynt o'r golwg yn llwch carnau eu ceffylau cyn i neb allu codi bys i'w rhwystro.

Chwarddodd y ddau yr holl ffordd adref am ben y tric a chwaraewyd ganddynt ar wŷr Morgannwg. Ond ni siaradodd Syr Lawrence Berkerolles yr un gair o'r dydd hwnnw hyd ei fedd, dim ond ysgwyd ei ben yn syfrdan a rhyfeddu o'r newydd at gampau'r sgamp Glyndŵr.

DEWIN

Y DEWIN

'Owain Glyndŵr!' llefodd Elen Goch a'i dwylo'n uchel yn yr awyr mewn anobaith. 'Owain Glyndŵr! Beth ddaw i'w feddwl nesaf?'

'Meddylia! Priodi ei ferch ei hun â'i elyn pennaf. Rhoi Catrin yn wraig i Edmund Mortimer! Diolch byth nad ydw i'n un o'i chwe mab nac yn un o'i dair merch. Diolch byth nad ydw i'n neb ond Cadi fach Tŷ Isaf.'

'Mi liciwn i fod yn dywysoges,' meddai Elen. 'Dim ond am ddiwrnod. Tywysoges iawn, yn perthyn i Owain Glyndŵr.'

'Dyw Harri IV yn fawr o beth, reit siŵr. Fyddai dim iws iti fod yn perthyn i hwnnw. Dod i Gymru i ymladd, a cholli bob tro,' meddai Cadi.

Chwarddodd Elen yn uchel. 'Pwy ond Harri allai gysgu mewn pabell ym mis Medi a'i gael ei hun, cyn pen dim, yn gorwedd ar wastad ei gefn yn edrych ar y sêr! Storm wedi cipio'i babell!'

Neidiodd dagrau o lygaid y ddwy ffrind, roeddynt yn chwerthin cymaint. 'Fyddai Owain byth wedi mynd i'r fath drybini. Lwc fod Harri wedi cysgu yn ei arfwisg neu mi fyddai wedi cael ei chwythu i ebargofiant hefo'i racsyn pabell!' gwawdiodd Cadi fach.

'Glyndŵr sy'n cael y bai am hynny gan y Saeson. Maen nhw'n dweud mai Glyndŵr achosodd y corwynt. Maen nhw'n dweud mai dewin, nid dyn, ydi

Glyndŵr,' meddai Elen a'i gwallt cringoch yn neidio oddi ar ei hysgwyddau wrth iddi ailddechrau ar y dasg o dorri coed tân â'i holl nerth.

Newydd fod yn golchi dillad yn afon Dyfi yr oedd Cadi Tŷ Isaf, ac wrthi'n eu taenu dros y llwyni cwrens coch i sychu.

'Dewin? Dim ond dewin fedrai ymosod ar y Fenni, Brynbuga, Caerllion, Casnewydd a Chaerdydd, un ar ôl y llall, heb stopio i gymryd ei wynt.' Ysgydwodd Cadi diwnig frown drom allan o'i blaen â chlep, tiwnig Iolo, ei gŵr.

'A byddai'n well i bawb petai Iolo ni wedi mynd i amddiffyn tai Glyndŵr tra bo hwnnw'n brwydro. Trueni fod y bwbach Harri bach yna wedi medru llosgi Sycharth i'r llawr, a llys Glyndyfrdwy, a hwnnw'n ddim ond un ar bymtheg oed.' Sniffiodd Cadi'n drahaus. 'Ond wedyn, beth yw llosgi dau blasty o'i gymharu â gwaith Owain Glyndŵr yn cipio Llandeilo a Chaerfyrddin?' Gwenodd Cadi'n sydyn. 'Dim ond dewin a allai wneud hynny.'

Dewin neu beidio roedd Glyndŵr, y funud honno, yn synhwyro perygl. Drigain milltir a rhagor i ffwrdd o Fachynlleth ac afon Dyfi, yr oedd Owain Glyndŵr yn eistedd ar lannau afon Tywi yn nhref Caerfyrddin. Am unwaith yn ei fywyd ni wyddai beth i'w wneud. Wrth bendroni ar derfyn dydd, trawodd ar syniad.

'Fe af fi at Hopcyn ap Tomos ab Einion iddo gael dweud fy ffortiwn,' meddai Owain wrtho'i hun. 'Fydd Hopcyn fawr o beth o'i gymharu â Crach Ffinnant, ond bydd yn well na dim. Mae enw da iddo yn yr ardal hon.'

Yn Ynysforgan yn arglwyddiaeth Gŵyr yr oedd Hopcyn ap Tomos ab Einion yn byw. Cafodd Hopcyn addewid na fyddai neb o'r naill fyddin na'r llall yn ei niweidio am ddod i ddweud ffortiwn Owain Glyndŵr, ac felly fe ddaeth ar frys i'w weld.

Heb ddim lol fe ddywedodd Hopcyn y gwir plaen wrth Owain Glyndŵr. Crynodd gwefusau Glyndŵr a dechrau troi'n las.

'Wyt ti'n siŵr?' gofynnodd Owain, a'i lais yn dawel, dawel.

'Yn hollol siŵr,' meddai Hopcyn. 'Fe gei di dy ddal mewn dim o dro, a hynny dan faner ddu, rywle rhwng Caerfyrddin a Gŵyr. Rwy'n ei weld mor glir â'r dydd.'

Doedd Owain ddim yn dwp. Dim ond un peth oedd i'w wneud. Aeth ar ei lw na fyddai byth bythoedd yn mynd yn agos i Gaerfyrddin na Phenrhyn Gŵyr, nac o fewn deng milltir i'r naill le na'r llall, byth tra byddai byw.

Doedd Hopcyn ddim yn dwp chwaith. 'Dyna un ffordd o wneud yn hollol siŵr na ddaw Owain Glyndŵr na'i fyddinoedd yn agos at fy nghartref i byth eto,' meddai wrtho'i hunan, a gwên fach ddireidus ar ei wefusau.

Yn lle poeni ei ben am Gaerfyrddin aeth Owain Glyndŵr ar wib i'r gogledd.

'Fydd hi ddim yn hir eto nes cawn ni'n gwlad yn genedl,' meddai Owain yn hyderus. 'Fi yw tywysog pob modfedd o'r wlad rhwng Caernarfon ac Aberteifi. Tywysog Cymru! Mae'n hen bryd imi alw Senedd i restru cyfreithiau teg i Gymru. Dim rhagor o ffwlbri Harri IV i bobl Glyndŵr.'

Galwodd Owain Glyndŵr, yn 1404, bedwar gŵr o bob ardal yng Nghymru i fod yn aelodau o'i Senedd. Roeddynt i gyfarfod ym Machynlleth, hanner ffordd rhwng y gogledd a'r de. Pan ddaeth y diwrnod mawr, diwrnod cyfarfod cyntaf y

Senedd, roedd strydoedd Machynlleth dan eu sang. Roedd pawb am y gorau eisiau cael gweld Tywysog Cymru ac aelodau'r Senedd newydd, a phob copa walltog yn leinio'r strydoedd i gael cip arnynt. Yn y rhes flaen, fe safai Elen Goch a Cadi fach, wedi hawlio'u lle ers pedwar o'r gloch y bore. Roedd y funud fawr wedi dod.

'Gwrandewch! Gwrandewch!' gwaeddodd y Canghellor wedi cwpanu ei ddwylo am ei geg. Aeth ochenaid drwy'r dorf, a phawb yn taro'i benelin yn siarp dan asen y nesaf ato i gael tawelwch. Mewn munud fe safai pawb yn fud.

Roedd yn olygfa ryfeddol. Codwyd llwyfan anferth ym mhen uchaf y stryd. Ar ochr chwith y llwyfan fe eisteddai Marged Glyndŵr, yn edrych fel tywysoges o'i chorun i'w sawdl. Gwisg gwddf isel o aur llachar oedd amdani, ei gwasg yn gul a'i sgert yn llawn. Disgynnai cymylau o sidan gosgeiddig o'i hysgwyddau i'r llawr, mor ysgafn â'r gwawn. Ond yr hyn a aeth â chalon Elen oedd y colur. Gwisgai Marged golur gwyn ar ei hwyneb. Ysai Elen, a oedd wedi arfer gweithio allan yn llygad yr haul nes bod ei hwyneb yn frown fel cneuen Fedi, am botiad o golur gwyn fel Marged.

Ar ochr dde'r llwyfan fe safai swyddogion eglwysig. Gyda hwy fe safai llysgenhadon o'r Alban, Ffrainc a Sbaen, oll yn eu gwisgoedd lliwgar, ysblennydd. Gyda hwy hefyd yr oedd Tudur ap Gruffudd Fychan, a Crach Ffinnant yn edrych yr un mor feddylgar ag erioed.

Ond yn y canol fe safai Owain Glyndŵr. Gwisgai grys gwyn, tiwnig aur, a mantell borffor. Ac wrth gwrs fe wisgai ei esgidiau o ledr Cordofa, gydag eryr aur

ar eu byclau. Nid oedd neb yn y byd yn harddach nag Owain Glyndŵr.

'Daethom ynghyd ym mhresenoldeb Duw,' llafarganodd y Canghellor yn eglur i bawb ei glywed, 'ac ym mhresenoldeb y bobl, i urddo Owain Glyndŵr yn Dywysog Cymru.'

Taranodd dau utgorn ffanffer hir ac urddasol. Camodd dwy ferch ifanc osgeiddig ymlaen, yn cario clustog aur. Arni yr oedd coron yn llawn gemau gwerthfawr, sgleiniog. Cododd y Canghellor y goron yn uchel i'r awyr i'w dangos i'r dyrfa. Galwodd ar bennaeth yr Eglwys i ddod i flaen y llwyfan - esgob mewn gwisg ysblennydd. Rhoddodd yr esgob y goron yn ofalus, ofalus am ben Glyndŵr. Ni fyddai neb arall yn Dywysog Cymru tra byddai Owain Glyndŵr yn fyw. Rhoddodd yr esgob darian ym mraich chwith Glyndŵr. Derbyniodd Owain hi yn arwydd y byddai'n amddiffyn Cymru hyd ei anadl olaf.

Yna trodd y Canghellor at Owain a chyhoeddi'n araf, '*Owynus dei gratia princeps Wallie*!'

Aeth bonllef drwy'r dorf. Cododd lwmp mawr i wddf Elen.

'O! rwyf mor hapus! Bydd popeth yn iawn o hyn ymlaen. Fedr dim byd fynd o chwith tra bo Owain Glyndŵr wrth y llyw!'

Anrhegion

O Ffrainc

ANRHEGION O FFRAINC

Syllai Gruffudd Young ymhell allan i'r môr. Os oedd yn gobeithio gweld môr-forwyn dlos neu siarc ffyrnig am syllu mor galed, bu'n anlwcus. Doedd dim yn symud ond gwylanod sgrechlyd, ac roedd hyd yn oed y rheini wedi troi'n ôl i'r porthladd ar ôl dilyn y llong am y filltir gyntaf.

Mis Mai oedd hi, yn y flwyddyn 1404. Roedd yr awyr las yn anferth, y cymylau gwynion cymaint â phentrefi, a'r goror ymhell bell i ffwrdd. Gyda Gruffudd Young fe deithiai John Hanmer. Digon gwelw oedd John, ac roedd yn gwgu yr un mor galed â Gruffudd. Trugaredd! Sut byddech chi'n teimlo petaech chi ar eich ffordd i weld Brenin Ffrainc? Dywedai rhai ei fod yn wallgof.

Agorodd Gruffudd Young y bag lledr a oedd yn hongian o'i felt. Oedd, roedd y llythyr yno. Dyma'r llythyr pwysicaf a welai byth. Doedd wiw iddo'i golli. A doedd wiw iddo dorri'r sêl ar ei gefn chwaith. Sêl Owain Glyndŵr ei hun oedd ar y llythyr hwn - llun coron Tywysog Cymru, ac oddi tani lun pedwar llew yn sefyll ar eu traed ôl, a'u traed blaen i fyny. Bron na allai Gruffudd Young eu clywed yn rhuo.

O'r diwedd gallai'r ddau forwr weld yr hyn yr oeddent yn chwilio amdano - tir Ffrainc ar y gorwel ac yn dod yn nes atynt bob eiliad. Hwyliai cychod pysgota o'r cei i rwydo pysgod. Hwyliai'r cymylau'n gyflym uwch eu pennau, mor wyn â

hwyliau llong yr ymwelwyr. Cyn hir daeth y capten i helpu John Hanmer a Gruffudd Young o'r llong i'r cei. Am sŵn! Am symud! Roedd yn waeth na ffair Croesoswallt.

Heb golli dim amser hebryngwyd yr ymwelwyr i Baris, i balas y Brenin Siarl.

'Gobeithio bod y brenin yn iach,' meddai Gruffudd Young a'i lygaid mawr duon yn llawn gofid. 'Fydd dim gobaith i'r llythyr yma os bydd y brenin yn sâl ac yn gwrthod ei ddarllen.'

'Dim ond bob hyn a hyn mae'r ffitiau gwallgofrwydd yn dod drosto. Tyrd! Efallai y byddwn ni'n taro ar adeg lwcus,' atebodd John Hanmer yn bwyllog.

Doedd dim i'w ofni. Wrth suddo i gadair esmwyth ym mhalas moethus y brenin, dechreuai John a Gruffudd deimlo'n fodlon iawn eu byd. Hoffai John yr adar lliwgar a oedd gan y brenin yn gwmni. Nid oedd yn hollol siŵr, ond roedd John yn rhyw feddwl bod yr un melyn llachar wedi wincio arno pan estynnodd ei fys i roi maldod iddo.

'A beth yw'r newyddion o Gymru?' gofynnodd Siarl.

'Dyma lythyr atat ti oddi wrth ein Tywysog, gyda'i gyfarchion,' meddai John.

Darllenodd Siarl ef a'i lygaid yn dawnsio. 'Chlywais i ddim byd mwy cyffrous ers amser hir,' meddai. 'Harri IV yn ffoi oddi wrth Owain Glyndŵr! Mae clywed hynny'n well na photelaid o ffisig.'

'Meddwl oedd Owain yr hoffech chi anfon milwyr o Ffrainc i'w helpu i ennill rhagor o frwydrau. Mae Harri IV yn elyn i'r ddau ohonoch chi.'

'Harri IV? Gadwch iddo fynd i grogi – a chynta'n y byd, gorau'n y byd. Faint o filwyr hoffech chi?'

'Yn union fel y dywedwch chi, Eich Mawrhydi,' meddai John gyda gwên lydan.

'Fe anfonaf i bum cant o farchogion arfog, a dau gant o saethwyr bwa croes. Bydd angen trigain llong i'w cario draw i Gymru. Harri IV ddywedsoch chi? Fydd dim sôn amdano erbyn yr haf.'

'Rydych chi'n garedig iawn, Eich Mawrhydi, yn garedig iawn.'

'Twt! Twt! Dyw hynny'n ddim byd rhwng ffrindiau. Fe hoffwn i roi anrheg i Owain Glyndŵr yn arwydd o'n cyfeillgarwch. Beth fyddai Owain yn ei hoffi?'

'Mae'n hoffi cerddoriaeth, barddoniaeth – a hela, wrth gwrs. Ond yn well na dim mae'n hoffi bod yn filwr.'

'Rwyf finnau'n filwr gwych hefyd. Dewch gyda mi i'r storfa arfau ac fe ddewisaf i'r arfau rhyfel gorau yn y wlad iddo. Dewch ar unwaith!'

Dewisodd y Brenin Siarl helm euraid yn anrheg i Owain Glyndŵr, o waith un o feistri gorau Ffrainc. Dewisodd lurig iddo, a chleddyf llym nad oedd ei gystal drwy'r wlad. Gwae Harri IV yn awr!

Pan gyrhaeddodd yr anrhegion Gymru roedd Owain Glyndŵr wedi'i syfrdanu. Plygodd ar ei liniau mewn parch at Siarl VI. Dim rhyfedd mai Siarl yr Anwylaf oedd ei enw anwes.

Cadwodd Siarl ei air. Dan haul mis Awst fe hwyliodd trigain o longau o borthladdoedd Llydaw a Normandi. Symudai'r llynges yn araf a gosgeiddig tua Chymru. Ar y blaen fe hwyliai Iarll La Marche, a'i faner yn hofran yng ngwynt y môr. Ar lannau Môr Udd edrychai plant y Saeson draw at y llongau a'u llygaid yn llawn braw.

Drwy'r haf fe hwyliodd Iarll La Marche yn ôl ac ymlaen ar hyd y Sianel. Wrth i'r dyddiau ddilyn ei gilydd fe anghofiodd plant y Saeson edrych tua'r môr. Doedd dim sôn fod y milwyr arfog na'r saethwyr am lanio. Trodd yr haf yn hydref ac wrth i'r llwydrew syrthio ar dir y Saeson fe hwyliodd y llynges, yn araf a gosgeiddig, yn ôl i borthladdoedd Llydaw a Normandi.

Beth oedd wedi mynd o'i le? Yn y gwanwyn cynnar fe anfonodd Owain Glyndŵr lythyr at y Brenin Siarl yn holi'r union gwestiwn.

'Camgymeriad,' meddai Siarl. 'Ond paid â phoeni dim, rwy'n anfon gosgordd o wyth gant o filwyr, chwe chant o saethwyr bwa croes, a mil dau gant o filwyr â mân arfau, draw o borthladd Brest.'

Croesiad anodd fu hwnnw i'r Ffrancwyr er ei bod yn ganol haf. Pan gyrhaeddodd y milwyr harbwr Aberdaugleddau ar un o ddyddiau cyntaf Awst, roedd aroglau cig drwg yn codi i'r awyr. Aroglau cyrff ceffylau wedi marw o syched ar lawr y llong oedd yr aroglau hwnnw.

Ond chymerodd neb sylw o hynny. Roedd Owain Glyndŵr ei hun yn harbwr Aberdaugleddau i groesawu'r Ffrancwyr. A chydag ef yr oedd deng mil o filwyr. Ni chafwyd erioed gymaint o sbort a sbri ag a gaed yn y dref y noson honno.

Pan ddaeth yn amser symud y fyddin enfawr yn ei blaen, cipiodd bob modfedd o Dde Cymru. Ymlaen, ymlaen yn ei nerth, cyn belled â Henffordd. Yr oedd Saeson Henffordd yn gryf.

'Mae'n amser troi'n ôl am Gymru,' meddai Owain wrth ei fyddin fawr.

Yn drefnus, ddi-stŵr symudodd y lluoedd i gyfeiriad castell Coety. Safai'r castell yn gadarn yn erbyn Owain, fel pe bai'n ei herio i ymladd. Roedd y tywydd wedi troi. Chwibanai gwynt croch drwy'r arfwisgoedd, a phrysurai'r milwyr yn eu blaenau a'u clustiau'n goch. Toddai cenllysg llwyd ym marfau'r saethwyr. Roedd pob diwrnod yn waeth na'r un o'i flaen. Doedd dim gobaith i Owain ymosod ar y castell yn llwyddiannus. Penderfynodd ei osod dan warchae. Byddai'n eu llwgu i farwolaeth.

Ni fu'n rhaid i Owain aros yn hir. Drwy'r mwd a'r glaw i gyd gallai weld o bell y rhes yn dod. Deugain trol o fwyd a diod, dillad, cwyr, golosg, tlysau a thrysorau. Wagenni Harri IV yn dod â bwyd i gastell Coety i dorri'r gwarchae.

'Milwyr y brenin sy'n amddiffyn y troliau,' meddai La Marche. 'Gwell i'm saethwyr i ddelio â'r rhain.'

Hedfanodd cawod o saethau mileinig i gyfeiriad y wagenni. Syrthiodd y Saeson ar eu hwynebau i'r mwd a mygu yn y drewdod. Symudodd y Ffrancwyr a'r Cymry yn nes ac ymladd wyneb yn wyneb â'r gelyn a oedd yn dal i sefyll. Roedd dau Gymro am bob un Sais.

'Myn y saint! Cymer hon!'

'Ang-a-a-au!!'

'Cer i grogi!!'

Ni safai un Sais i amddiffyn y troliau ar ôl yr ymosodiad cyntaf. Rhedodd y sawl a oedd yn dal yn fyw i ganol y coedydd a llercian yno nes cael cyfle i ddianc yn ôl i Henffordd. Ond cafodd Owain Glyndŵr fodd i fyw, ef a'r Iarll La Marche, yn gwledda ar y bwyd ffres ac yn gwylio'r modrwyau hardd yn fflachio yn y glaw.

Y TAPESTRI

$\mathcal{A}$DAR Y TAPESTRI

Rhwygwyd yr awyr gan sŵn enfawr.

CRRR-AAAA-TSH!!!

Crynodd castell Harlech i'w seiliau.

'Pawb i'r seler!' gorchmynnodd Marged Glyndŵr. 'Tyrd, Catrin! A chithau'r merched bach. Rhedwch am eich bywyd!'

Dyna'r eildro y diwrnod hwnnw i'r Saeson danio'r canon at y castell. Gwibiodd y belen gyntaf drwy'r awyr oer a glanio ymhell y tu draw i'r muriau. Ond syrthiodd yr ail ergyd hon yn nes.

'Mam! Mam!' sgrechiodd Annes a'i hwyneb yn wyn fel y galchen. Swatiodd Catrin Mortimer ei merch fach dan ei chesail. Sut oedd esbonio i dair o ferched mor ifanc â hyn fod Gilbert Talbot wedi gwersylla y tu allan i gastell Harlech, ac nad oedd yn bwriadu symud modfedd o'r fan nes llwgu'r tair ohonynt i farwolaeth? Hwy a'u tad a'u mam, Edmund a Catrin Mortimer, ond yn fwy na neb eu taid a'u nain, Owain a Marged Glyndŵr. Fyddai dim yn rhoi pleser i Gilbert Talbot, dim ond gweld Owain Glyndŵr a'i lygaid yn llonydd, yn farw gelain.

Y funud honno roedd Owain ar dŵr y castell gyda'i saethwyr. Safent yn barod i ergydio, ond roedd y pellter o'r tŵr at y tanwyr yn rhy fawr i saeth fedru lladd neb. Ysai Owain am gael ymladd â Gilbert Talbot wyneb yn wyneb. Fyddai fawr o dro yn gwthio gwaywffon i'w galon. Ond am y tro ni allai Owain wneud dim. Dim ond gwylio Gilbert a'i ddynion yn chwerthin am eu pennau, yn gaeth fel yr oeddynt yn eu castell crand heb un ffordd o gael dŵr na dynion atynt i'w helpu.

'Rwy'n mynd i lawr at y merched,' meddai Owain. 'Mae popeth yn dawel yma rŵan,' ac aeth ar ei union i gasglu ei deulu o'r seler.

'Taid! Ydych chi'n iawn?' gwichiodd Annes wrth weld drws y seler dywyll yn agor ac Owain Glyndŵr yn llanw'r adwy. Rhuthrodd Annes ato a dechrau beichio crio yn ei stumog.

'Annes bach! Mae dy lygaid di fel dau lyn. Mi alla i weld fy llun ynddyn nhw!'

Chwarddodd Annes drwy ei dagrau. 'Gawn ni fynd o'r seler ddu yma rŵan? Mae 'nhraed i'n oer. Dwi eisiau mynd i gyfri'r adar ar y tapestri yn y neuadd.'

'A dwi eisiau i Nain ddweud stori Dinogad,' meddai ei chwaer. Sugno'i bawd wnaeth y chwaer ieuengaf.

Roedd y neuadd yn gynnes ar ôl lleithder y seler dywyll. 'I ble mae'r adar yma i gyd yn hedfan?' gofynnodd Annes, a'i thraed yn dynn yng nghôl ei nain.

'Hedfan yma ac acw i weld beth sy'n digwydd yn y byd,' meddai Marged Glyndŵr. 'A dod yn ôl i ddweud yr hanes. Mi ddywedodd un deryn bach wrthyf fi ei fod o wedi dy weld di'n ymarfer taflu gwaywffon ddoe, Annes.'

'Doeddwn i ddim yn dda iawn, Nain.'

'Braidd yn rhy hir fyddai gwaywffon i ti, 'mach i. A dim ond bechgyn sy'n mynd i ryfela, cofia.'

'Ond os daw Gilbert Talbot a'i ddynion yma mi fyddaf yn barod amdanynt,' meddai Annes. 'Mi wnaf eich amddiffyn chi a Taid, a Dad a Mam a phawb.'

'Taw â bod yn wirion, Annes,' meddai Non, ei chwaer. 'Beth arall ddywedodd yr adar wrthoch chi, Nain? Am y Saeson, dwi'n feddwl.'

'Bod cwch John Horn, dyn gwerthu pysgod yn Llundain, wedi dod â bwyd i'r Saeson. Ond bod y Cymry wedi dal John Horn ac wedi dwyn ei arian a llosgi'r cwch,' meddai Marged.

'Biti fod y Saeson wedi cael bwyd a ninnau heb ddim,' meddai Annes.

'Heb ddim? Beth ddaeth dros dy ben di? Gawson ni wledd ardderchog neithiwr, a digon dros ben i'r cŵn gael llond eu boliau o dan y bwrdd ar ôl i ni orffen! Wnawn ni ddim llwgu hyd yn oed petai Gilbert Talbot yn cysgu tu allan i'r castell nes ei fod yn hen ŵr a'i wallt yn wyn.'

'Gawn ni stori Dinogad, Nain?'

Roedd Marged Glyndŵr bob amser yn falch o gael adrodd un o hen straeon y Cymry wrth ei hwyresau.

'Un tro,' meddai Marged, 'roedd plentyn bach hoffus o'r enw Dinogad yn byw yn y gogledd. Roedd tad Dinogad yn hoffi mynd i hela a'i waywffon ar ei ysgwydd, ei bastwn yn ei law, a'i ddau gi cyflym, Giff a Gaff, yn rhedeg yn ôl ac ymlaen o gwmpas ei goesau. Un diwrnod braf ...'

Torrwyd ar draws y stori gan sŵn curo taer ar ddrws y neuadd.

'Dewch i mewn!' arthiodd Owain Glyndŵr. Cythrodd Madog, un o'r saethwyr, ato a'i wynt yn ei ddwrn.

'F'arglwydd Glyndŵr!' meddai a dychryn yn ei lais. 'Brysia! Mae'r gelyn wedi dal rhai o Gymry'r dref ac wedi'u dienyddio. Maen nhw'n taflu'r pennau dros wal y castell i mewn aton ni â chatapwlt!'

Ymgroesodd Owain Glyndŵr. 'Heddwch i'w llwch,' meddai'n dawel. 'Claddwch hwy'n urddasol ar dir y castell.'

Trodd Owain at Marged. 'Dyma neges glir oddi wrth Gilbert yn dweud mai ni fydd nesaf. Trugaredd! Chaiff hyn ddim digwydd i Owain Glyndŵr, nac i neb o'i deulu. Mi ofalaf i am hynny.'

Brysiodd Owain at y saethwyr ar y tŵr. Yno roedd gwaeth newyddion yn ei aros. Roedd Edmund Mortimer, tad y merched bach, wedi'i ladd.

Roedd y Saeson yn ymosod yn gryf eto. Ergydiwyd cawod arall o saethau am ben milwyr y tŵr. Syrthiodd dau arall o wŷr Glyndŵr a llithro dros y mur i lawr at draed Gilbert Talbot. Poerodd hwnnw arnynt a'u cicio'n greulon.

O un i un roedd milwyr Glyndŵr yn cael eu lladd. Dyna'r hanes drwy'r wlad, o Fôn i Fynwy. Roedd y llanw'n troi. Fesul un roedd y Saeson yn dewis eu prae ac yn taro. Ni allai Owain Glyndŵr ymladd yn ôl yn hir iawn eto. Doedd ganddo ddim digon o ddynion. Mater o amser oedd hi bellach cyn y byddai'n rhaid iddo ildio.

Yn ei wely'r noson honno, sibrydodd Glyndŵr ei gynllun yng nghlust Marged. Gafaelodd yn ei llaw ac anwesu ei gwallt. Pe byddai Gilbert Talbot yn cymryd castell Harlech, meddai, roedd meirch wedi'u cyfrwyo'n barod yn y stablau. Gallent ddianc yn chwim i gyfeiriad y dwyrain.

'Paid â phoeni amdana i, Owain,' meddai Marged. 'Cysga'n dawel rŵan.'

Ond cyn i'r naill na'r llall gau eu llygaid blinedig roedd Gilbert Talbot a'i wŷr wedi dal y castell. Lluchiodd y Saeson eu rhaffau lledr cryf dros fur y castell, a hyrddio'u ffordd heibio i'r llinell denau o saethwyr a oedd yn hepian ar y tŵr.

Yr arswyd! Neidiodd Glyndŵr o'i wely. Rhedodd i helpu'r milwyr yn eu brwydr filain yn erbyn y Saeson. Y funud yr oedd Owain wedi troi ei gefn, cipiwyd Marged, Catrin, a'r merched bach a'u llusgo allan i wersyll y Saeson. Byddent ar eu ffordd i Lundain fawr ymhen byr o dro.

Torrodd Glyndŵr ei galon. Ond doedd pethau ddim ar ben eto! Roedd ei geffyl wedi'i gyfrwyo yn y stablau. Ac roedd ei fab, Maredudd, a'i draed yn rhydd. 'Brysia! Fe awn ni'n dau dan gysgod nos. Fyddwn ni ddim yn hir cyn cael lletty gan ffrindiau Glyndŵr,' meddai Owain yn llawn antur.

Gweryrodd march Owain yn fodlon. Synhwyrai y câi garlamu allan o'r castell i'r awyr agored unwaith eto. Cosodd Glyndŵr glustiau'r march a siarad yn dawel ag ef. Ar ei harnais roedd addurn o efydd euraid ac arno lun pedwar llew Owain, Tywysog Cymru. Rhoddodd Owain glatsien fach ysgafn i fwng ei geffyl ac roedd heibio i'r gelyn fel fflach, a Maredudd yn dynn wrth ei sodlau.

Un peth oedd dianc. Ond beth a wnâi Owain yn awr?

Codi'n

GYNNAR

Codi'n gynnar

Ar doriad gwawr un bore braf fe gerddai gŵr cefnsyth yn y mynyddoedd uwchben Llangollen. Dim ond newydd oleuo oedd y bore ond roedd y dyn eisoes wedi crwydro'n bell drwy'r gwlith, ac wedi cyrraedd copa Dinas Brân. Safodd yn y golau newydd ac edrych i lawr y dyffryn.

Yn sydyn, taflodd ei ben yn ôl a chwerthin yn uchel nes bod ei sŵn yn llanw'r cwm.

'Dyddiau da oedd y rheini!' meddai wrtho'i hun. 'Da dros ben!'

Wrth glywed y sŵn a'r siarad daeth gŵr eglwysig allan o'r coed i weld beth oedd yn digwydd. Oedd rhywun yn mynd o'i go? Cododd y mynach ei wisg laes dros ei sandalau a rhedeg fel gafr at y truan bach. Ond doedd dim angen iddo. Roedd yn adnabod y gŵr cefnsyth yn dda.

'Owain Glyndŵr! Beth ddaeth â thi

yma? Gefaist ti bardwn gan y brenin?'

'Choelia i fawr! Mae'r brenin am fy ngwaed i! Chaf i byth bardwn ganddo, ddim tra bydd dŵr y môr yn hallt! Ond rwy'n siŵr y caf i groeso gen ti, f'arglwydd Abad.'

Plygodd Owain Glyndŵr ar ei liniau o flaen Abad Glyn y Groes i dderbyn ei fendith. Ymgroesodd yr abad a bendithio Glyndŵr.

Cerddodd y ddau yn hamddenol i gyfeiriad haul y bore, a sŵn yr adar cyntaf yn stwyrian canu.

'Corwynt o ddyn oeddet ti, Glyndŵr! Biti na chefaist ti gyfle teg,' meddai'r abad yn dawel. 'Eglwys Cymru! Dyna syniad ardderchog oedd hwnnw. Fe fyddwn i gyda thi bob cam o'r ffordd.'

Crychodd talcen Owain. 'Roedd yn siom fawr i mi, f'arglwydd Abad, pan fethodd y syniad hwnnw. Tyddewi oeddwn i eisiau yn fam eglwys, nid Caergaint,' meddai'n chwyrn.

'A chael Pab Avignon yn Ffrainc i'n bendithio yn lle gorfod mynd yr holl ffordd at Bab Rhufain ar bererindod,' meddai'r abad. 'Dyna fendith fyddai honno! Yn enwedig i'r rhai sy'n cerdded yn droednoeth. Llai o bothelli a llai o waed!'

'A beth am y rhai sy'n mynd i bererindota ar eu penliniau?' meddai Owain gan ymuno yn y cellwair. 'Llai o gleisiau a llai o greithiau'n llawn o gerrig mân yr holl ffordd i lawr eu coesau. Aw!'

'Owain! Paid â bod mor wamal!' Ymgroesodd yr abad eto. 'Na, roeddet ti yn llygad dy le. Byddai'n well o lawer i Eglwys Cymru ddilyn esiampl Eglwysi'r Alban,

Ffrainc a Sbaen a gwrando ar Bab Avignon yn lle cydio yn llaw Lloegr.'

Oedodd y ddau i edrych i lawr y cwm. Roedd sawl un o'r gwerinwyr yn brysur wrth ei waith, un yn hogi bwyell yn barod i dorri coed i godi tŷ, un arall yn godro praidd o eifr. Codai rhimyn tenau o fwg o efail y gof, a nadreddai afon Dyfrdwy yn ddiog ar lawr y dyffryn.

'Dyma'n union sut yr oedd pethau pan oeddwn i'n blentyn,' meddai Owain. Caledodd ei lais. 'A does dim byd wedi newid ers hynny. Gwrthryfel neu beidio.'

'Nonsens!' ffrwydrodd yr abad. Roedd wedi dychryn wrth glywed Owain Glyndŵr yn siarad mor wirion. 'Beth sy'n bod arnat ti? Hebddot ti fyddai neb wedi breuddwydio am Eglwys Cymru. Hebddot ti fyddai neb wedi breuddwydio am Brifysgol Cymru. Hebddot ti fyddai neb wedi dyheu unwaith eto am gael gweld Tywysog Cymru. Dyma'r ffordd ymlaen. Mae pawb yn gwybod hynny rŵan, diolch i ti.'

Gwenodd Owain. 'Diolch iti, f'arglwydd Abad. Ond rwy'n amau dy fod di wedi codi'n rhy gynnar fore heddiw. Mae'r awel oer ar ben Dinas Brân wedi mynd i dy ben di!'

'Naddo'n wir! Ti sydd wedi codi'n rhy gynnar, f'arglwydd Owain. Gan mlynedd yn rhy gynnar. A ninnau'n llusgo'n araf tu ôl iti!'

'Os felly, mi ddiflannaf am gan mlynedd arall! Pan ddof yn ôl y tro nesaf fe fydd Cymru'n barod amdanaf!'

Crac! Clywodd Owain sŵn peryglus. Crac! Crac! Dyna'r sŵn eto. Brigau coed

yn torri dan draed. Pwy allai fod ar ben Dinas Brân mor fore â hyn?

'Maddau imi, f'arglwydd Abad,' meddai Owain, 'ond mae'n rhaid imi d'adael di ar unwaith.'

'Da bot ti, Owain. A chymer ofal. Bendith Duw a'r holl saint a fo arnat.'

Fel ewig, llamodd Owain i'r coed a diflannu wrth i'r haul ifanc wneud ei farc ar adfeilion castell Dinas Brân.